O9-BTM-397

EX LIBRIS

WREDNA WIOSKA

SERIA NIEFORTUNNYCH ZDARZEŃ

KSIĘGA SIÓDMA

WREDNA WIOSKA

Lemony Snicket

Ilustrował Brett Helquist

Tłumaczenie Jolanta Kozak

EGMONT

*

Tytuł serii: *A Series of Unfortunate Events*
Tytuł oryginału: *The Vile Village*

Text copyright © 2001 by Lemony Snicket
Illustrations copyright © 2001 by Brett Helquist

First Edition, 2001 HarperCollins
Published by arrangement with HarperCollins Children's Books,
a division of HarperCollins Publishers, Inc.

From *A Series of Unfortunate Events. The Vile Village*
by Lemony Snicket.
Cover illustration copyright © 2001 Brett Helquist.
Published by Egmont Books Limited, London and used with
permission.

© for the Polish edition by Egmont Polska Sp. z o.o.,
Warszawa 2003

Redakcja: Hanna Baltyn
Korekta: Anna Sidorek

Wydanie drugie, Warszawa 2004
Wydawnictwo Egmont Polska Sp. z o.o.,
ul. Dzielna 60, 01-029 Warszawa
tel. (0-22) 838 41 00
www.egmont.pl/ksiazki

ISBN: 83-237-1757-5

Opracowanie typograficzne i łamanie: SEPIA, Warszawa
Druk: Edica SA, Poznań

*

Dla Beatrycze
Póki byliśmy razem, zapierało mi w piersiach dech.
Teraz Tobie zaparło dech – na zawsze.

Kimkolwiek jesteś, gdziekolwiek mieszkasz, ile-
kolwiek osób cię ściga, w każdej sytuacji to, co
czytasz, jest równie ważne jak to, czego nie czytasz. Jeśli, dla przykładu, spacerujesz po górach
i nie przeczytasz tablicy ostrzegawczej z napisem
„Uwaga! Urwisko!", bo akurat jesteś zajęty czyta-
niem antologii dowcipów, to może się nagle okazać, że maszerujesz po świeżym powietrzu, zamiast
po twardym skalistym podłożu. Jeżeli pieczesz
ciasto dla przyjaciół i zamiast książki kucharskiej
czytasz artykuł zatytułowany „Jak skonstruować
krzesło", to twoje ciasto będzie zapewne miało
smak drewna i gwoździ, zamiast smaku kruszonki
i nadzienia. A jeżeli upierasz się przy czytaniu tej

książki, zamiast zająć się lekturą czegoś weselszego, to z pewnością zaczniesz się niebawem skręcać z bólu i żalu, zamiast ze śmiechu. Jeśli więc masz choć trochę oleju w głowie, odłóż tę książkę natychmiast i sięgnij po jakąś inną. Znam, na przykład, książeczkę pod tytułem *Najmniejszy Elf*, która opowiada historię ludzika, krzątającego się po Czarodziejskiej Krainie i przeżywającego tam rozmaite ucieszne przygody. Naprawdę uważam, że powinieneś poczytać sobie raczej *Najmniejszego Elfa*, radując się uroczymi zdarzeniami, jakie napotyka na swojej drodze owa zmyślona istotka w zmyślonej krainie, zamiast czytać tę książkę i jęczeć ze zgrozy na wieść o strasznych rzeczach, które przydarzyły się sierotom Baudelaire w wiosce, w której ja właśnie piszę na maszynie te oto słowa. Niedola, żałość i zdrada zawarte na kartach tej powieści są tak straszliwe, że dla własnego dobra nie powinieneś czytać więcej, niż już przeczytałeś.

W każdym razie sieroty Baudelaire, w chwili gdy rozpoczyna się ta oto historia, wiele by dały za to, aby nie czytać rozpostartej przed ich oczami gazety. Gazeta, o czym z pewnością wiecie, jest to zbiór rzekomo prawdziwych historii, opisanych przez autorów, którzy albo sami widzieli opisane zdarzenia na własne oczy, albo rozmawiali z ludźmi, którzy byli ich świadkami. Autorów tych nazywamy dziennikarzami, a dziennikarze, podobnie jak telefonistki, rzeźnicy, baletnice i stajenni, mogą niekiedy popełniać błędy. Niewątpliwie widać to było na pierwszej stronie porannego wydania „Dziennika Punctilio" – gazety, którą czytały sieroty Baudelaire w gabinecie pana Poe. „PORWANIE BLIŹNIĄT PRZEZ HRABIEGO OMARA" – głosił największy tytuł. Trójka Baudelaire'ów spojrzała po sobie w zdumieniu na widok błędów popełnionych przez reporterów „Dziennika Punctilio".

– „Duncan i Izadora Bagienni – odczytała na głos Wioletka – bliźnięta, które są jedynymi ocalałymi członkami rodziny Bagiennych, zostały porwane przez znanego przestępcę Hrabiego Omara. Policja od dawna poszukuje Omara podejrzanego o szereg strasznych zbrodni. Hrabia Omar jest osobnikiem łatwym do rozpoznania: ma pojedynczą długą brew oraz tatuaż z okiem na kostce lewej nogi. Uprowadził – z niewiadomych powodów – jeszcze jedną osobę, niejaką Esmeraldę Szpetną, szóstą najważniejszą doradczynię finansową w mieście". A fe! – słowa „A fe!" nie figurowały w tekście artykułu, lecz zostały dodane przez Wioletkę jako wyraz niesmaku, zniechęcającego do dalszej lektury.

– Gdybym skonstruowała wynalazek tak niestarannie, jak napisany jest ten artykuł – stwierdziła Wioletka – moje urządzenie natychmiast by się rozleciało.

Wioletka, która miała lat czternaście i była najstarszą z rodzeństwa Baudelaire'ów, specjalizowała się w wynalazkach i sporo czasu spędzała z włosami związanymi wstążką, żeby nie leciały jej do oczu, gdy obmyśla nowe urządzenie mechaniczne.

– A gdybym ja czytał książki tak niestarannie, jak napisany jest ten artykuł – powiedział Klaus – nie zapamiętałbym z nich ani jednego faktu.

Klaus, środkowy przedstawiciel rodzeństwa Baudelaire'ów, przeczytał chyba więcej książek niż ktokolwiek inny w jego wieku, a lat miał niespełna trzynaście. W wielu decydujących momentach siostry Klausa liczyły na to, że zapamiętał on jakiś użyteczny fakt z przeczytanej przed laty książki – i nigdy się nie przeliczyły.

– Krecin! – powiedziało Słoneczko. Słoneczko, najmłodsze z Baudelaire'ów, było niemowlęciem płci żeńskiej, niewiele większym od arbuza. Jak to niemowlę, Słoneczko wypowiadało nieraz słowa trudne do zrozumienia, na przykład „Krecin!", które znaczyło coś w sensie: „A gdybym ja swoimi czterema wielkimi zębami gryzła coś tak niestarannie, jak napisany jest ten artykuł, nie zostawiłabym na tym czymś nawet śladu zębów!".

Wioletka przesunęła gazetę bliżej jednej z lamp biurowych w gabinecie pana Poe i zaczęła liczyć błędy, które pojawiły się już w pierwszych przeczytanych przez nią zdaniach.

– Po pierwsze – wyliczała – Bagienni nie są bliźniętami, tylko trojaczkami. To, że ich brat zginął w pożarze razem z rodzicami, nie zmienia ich statusu cywilnego.

– Naturalnie, że nie – przytaknął Klaus. – A po drugie, porwał ich Hrabia Olaf, a nie Omar. Jakby nie wystarczyło, że Olaf zawsze występuje w przebraniu, to jeszcze teraz ta gazeta przebrała jego nazwisko.

– Esme! – dodało Słoneczko, a brat i siostra pokiwali na to głowami. Najmłodsza latorośl Baudelaire'ów odniosła się do tej części artykułu, w której była mowa o Esmeraldzie Szpetnej. Esmeralda i jej mąż Jeremi byli ostatnimi opiekunami prawnymi Baudelaire'ów. Dzieci na własne oczy przekonały się, że Esmeralda wcale nie została porwana przez Hrabiego Olafa. Przeciwnie: Esmeralda w sekrecie pomagała Olafowi w jego niecnych planach i w ostatniej chwili uciekła wraz z nim.

– A już największy błąd to „z niewiadomych powodów" – dodała ponuro Wioletka. – Te powody wcale nie są niewiadome. My o nich wiemy doskonale. Znamy powody wszystkich niecnych czynów Esmeraldy, Hrabiego Olafa i wszystkich jego wspólników. To są po prostu niecni ludzie.

Wioletka odłożyła „Dziennik Punctilio", rozejrzała się po gabinecie pana Poe i zawtórowała rodzeństwu w ciężkim, smutnym westchnieniu. Sieroty Baudelaire westchnęły nie tylko nad tym, co właśnie przeczytały, ale i nad tym, czego nie przeczytały. Artykuł nie wspominał, że zarówno Bagienni, jak i Baudelaire'owie stracili rodziców w strasznych pożarach, że i jedni, i drudzy rodzice zostawili dzieciom w spadku ogromne majątki, i że Hrabia Olaf knuł swoje niecne plany właśnie w celu zagarnięcia owych majątków. Gazeta zaniedbała odnotować, że trojaczki Bagienne zostały uprowadzone w trakcie próby ułatwienia Baudelaire'om ucieczki z łap Hrabiego Olafa, i że Baudelaire'om raz już prawie udało się uwolnić Bagiennych, których jednak porwano im sprzed nosa po raz drugi, dosłownie w ostatniej chwili. Dziennikarze, którzy pisali wspomniany artykuł, nie wspomnieli o tym, że Duncan Bagienny, który sam był dziennikarzem, oraz Izadora Bagienna, która była poetką, prowadzili skrupulatne zapiski w swoich notesach. Ani o tym, że wśród tych zapisków znalazł się odkryty przez Bagiennych straszliwy sekret Hrabiego Olafa, z którego Baudelaire'owie poznali tylko inicjały WZS, i odtąd usilnie rozmyślali nad tym, co stoi za tymi trzema literami i do jakich przerażających rzeczy mogą się one odnosić. Przede wszystkim jednak Baudelaire'owie nie przeczytali w gazecie ani słowa o tym, że trojaczki Bagienne są ich najlepszymi przyjaciółmi, więc oni, Baudelaire'owie, bardzo się o Bagiennych martwią i co noc, usiłując zasnąć, wyobrażają sobie straszne rzeczy, które mogły spotkać ich przyjaciół – jedynych przyjaciół, a zarazem jedyny fortunny uśmiech losu od dnia otrzymania wiadomości o strasznym pożarze, który zabił ich rodziców i zapoczątkował serię niefortunnych zdarzeń, tropiących dzieci, gdziekolwiek by się skierowały. Artykuł w „Dzienniku Punctilio" nie wspominał o tym wszystkim zapewne dlatego, że dziennikarz, który go napisał, nie znał powyższych faktów albo nie uznał ich za ważne. Za to trójka sierot Baudelaire przesiedziała dłuższą chwilę w milczeniu, rozpamiętując te właśnie, niezmiernie ważne szczegóły.

Ich rozmyślania przerwał atak kaszlu, dochodzący od drzwi gabinetu, a gdy się odwrócili, ujrzeli pana Poe kaszlącego w białą chusteczkę. Pan Poe był bankierem, odpowiedzialnym za sieroty Baudelaire od dnia pożaru, lecz muszę z przykrością stwierdzić, że był to osobnik wyjątkowo podatny na błędy, co tu znaczy, że „wciąż kaszlał i wciąż na nowo umieszczał trójkę sierot Baudelaire w nad wyraz niebezpiecznych środowiskach".

Pierwszym opiekunem, którego pan Poe znalazł dzieciom, był nie kto inny jak właśnie Hrabia Olaf, ostatnią natomiast wyznaczoną przezeń opiekunką Baudelaire'ów była wspomniana Esmeralda Szpetna, w międzyczasie zaś dzieci trafiły za sprawą pana Poe w szereg innych rąk, zawsze z równie nieprzyjemnym skutkiem. Tego ranka miały się dowiedzieć, gdzie będzie ich nowy dom, ale jak dotąd pan Poe dostał tylko kilku kolejnych ataków kaszlu i trzymał dzieci w swoim gabinecie sam na sam z kiepską gazetą.

– Dzień dobry dzieci – powiedział pan Poe. – Przepraszam, że kazałem wam czekać, ale odkąd zostałem mianowany Wiceprezesem do spraw Opieki nad Sierotami, jestem niezmiernie, niezmiernie zajęty. Przyznam też, że znalezienie wam kolejnego domu nastręcza niemało trudności. – Podszedł do biurka zarzuconego stertami papierów i zasiadł w wielkim fotelu. – Telefonowałem do wielu waszych dalekich krewnych, ale wszyscy już słyszeli o nieszczęściach, które stale depczą wam po piętach. Mają zbyt wielkiego pietra przed Hrabią Olafem, żeby się wami zająć – i wcale im się nie dziwię. „Mieć pietra", à propos, to znaczy „obawiać się". I jeszcze jedno...

Przerwał mu głośny, nieprzyjemny dzwonek jednego z trzech telefonów na biurku.

– Przepraszam – rzekł bankier do dzieci, po czym dalej już mówił do słuchawki: – Poe, słucham. Tak. Tak. Tak. Tak myślałem. Tak. Tak.

Dziękuję panu, panie Fagin. – Pan Poe odłożył słuchawkę i zrobił znaczek na jednym z licznych papierów zawalających biurko. – To był wasz dziewiętnasty kuzyn – wyjaśnił dzieciom. – A moja ostatnia nadzieja. Miałem nadzieję, że namówię go, żeby przygarnął was chociaż na parę miesięcy, ale odmówił. Zaczynam się obawiać, że wasza reputacja niepoprawnych rozrabiaków wpłynie ujemnie na reputację mojego banku.

– My wcale nie jesteśmy rozrabiakami – zaprotestował Klaus. – To Hrabia Olaf jest niepoprawnym rozrabiaką.

Pan Poe sięgnął po leżącą przed dziećmi gazetę i przyjrzał się z uwagą pierwszej stronie.

– Mniejsza o to, jestem pewien, że artykuł w „Dzienniku Punctilio" pomoże w końcu władzom ująć Hrabiego Olafa, a wówczas wasi krewni przestaną mieć pietra.

– Tylko że ten artykuł roi się od błędów – zauważyła Wioletka. – Władze nie dowiedzą się z niego nawet, jak naprawdę nazywa się Hrabia Olaf. W gazecie figuruje jako Omar.

– Mnie też ten artykuł rozczarował – przyznał pan Poe. – Dziennikarz obiecywał, że obok tekstu wydrukuje moje zdjęcie ze wzmianką o awansie. Nawet ostrzygłem się specjalnie na tę okoliczność. Żona i synowie byliby ze mnie bardzo dumni, gdyby moje nazwisko ukazało się w prasie. Rozumiem więc wasze rozczarowanie tym, że jest to artykuł o bliźniętach Bagiennych, a nie o was.

– Nam wcale nie zależy, aby pisali o nas w gazetach – odparł Klaus. – A poza tym, Bagienni są trojaczkami, nie bliźniętami.

– Śmierć brata zmieniła ich status cywilny – stwierdził z surową miną pan Poe. – Zresztą, szkoda czasu na takie rozmowy. Musimy znaleźć...

Rozdzwonił się inny telefon i pan Poe powtórnie przeprosił dzieci.

– Poe, słucham – zameldował się do słuchawki. – Nie. Nie. Nie. Tak. Tak. Tak. Wszystko mi jedno. Do widzenia. – Odłożył słuchawkę i zakaszlał w białą chusteczkę, którą następnie otarł usta, zanim znów zwrócił się do dzieci. – No, być może ten telefon rozwiąże wszystkie wasze problemy – oświadczył jakby nigdy nic.

Baudelaire'owie spojrzeli po sobie. Czyżby aresztowano Hrabiego Olafa? Odnaleziono Bagiennych? A może ktoś znalazł sposób na podróż w czasie i zdołał uratować ich rodziców ze strasznego pożaru? Jakim cudem jeden telefon do bankiera miałby rozwiązać ich wszystkie problemy?

– Plin? – spytało Słoneczko.

– No tak – uśmiechnął się pan Poe. – Znacie aforyzm: „Do wychowania dziecka trzeba całej wioski?".

Dzieci ponownie wymieniły spojrzenia, już mniej pełne nadziei. Cytowanie aforyzmów, podobnie jak szczekanie złego psa albo zapach gotowanych brokułów, rzadko zapowiada jakieś pomyślne wydarzenie.

Aforyzm to po prostu garstka słów ułożonych w pewnym porządku, bo akurat w ten sposób dobrze brzmią; ludzie mają jednak skłonność do cytowania aforyzmów tak, jakby zawierały one jakieś niebywałe tajemnice i mądrości.

– Na pewno zabrzmiało to dla was tajemniczo – ciągnął pan Poe – ale ten aforyzm jest bardzo mądry. „Do wychowania dziecka trzeba całej wioski" – to znaczy, że troska o młodzież spoczywa na barkach całego społeczeństwa.

– Coś mi się zdaje, że spotkałem ten aforyzm w książce o pigmejskim plemieniu Mbuti – przypomniał sobie Klaus. – Chce nas pan wysłać do Afryki?

– Ależ skąd! – obruszył się pan Poe, jakby miliony ludzi zamieszkujących Afrykę nie zasługiwały na nic prócz śmiechu i politowania. – Dzwonił ktoś z rady miejskiej. Wiele okolicznych miejscowości zgłosiło już chęć udziału w programie opiekuńczym, opartym na haśle: „Do wychowania dziecka trzeba całej wioski". Do miejscowości tych wysyła się sieroty, które otoczone zostają opieką wszystkich lokalnych mieszkańców. Osobiście wolę bardziej tradycyjne struktury życia rodzinnego, ale ten sposób wydaje się w waszej sytuacji nader korzystny, a rodzice wasi zaznaczyli w testamencie, iż życzą sobie, abyście byli wychowywani w sposób jak najbardziej korzystny.

– To znaczy, że będzie nas wychowywać cała wieś? – zdumiała się Wioletka. – Nie za dużo tych opiekunów?

– Przypuszczam, że będą was wychowywali na zmianę – poskrobał się po brodzie pan Poe. – Przecież trzy tysiące ludzi nie przyjdzie całować was na dobranoc!

– Snojta! – pisnęło z oburzeniem Słoneczko, komunikując coś w sensie: „Ja wolę, żeby całowali mnie na dobranoc brat i siostra, a nie jacyś obcy!".

Pan Poe był jednak zbyt pochłonięty papierami na biurku, aby cokolwiek na to odpowiedzieć.

– Zdawało mi się, że parę tygodni temu dostałem pocztą broszurę o tym programie wychowawczym... – mruczał pod nosem – ...ale gdzieś mi się zawieruszyła... O, jest! Zobaczcie sobie.

Pan Poe podał dzieciom przez biurko barwną broszurę i sieroty Baudelaire mogły same zapoznać się z jej treścią. Na okładce widniało ozdobnie wydrukowane hasło: „Do wychowania dziecka trzeba całej wioski", a w środku były zdjęcia dzieci, uśmiechniętych od ucha do ucha, tak szeroko, że Baudelaire'ów szczęki rozbolały od samego patrzenia. W kilku akapitach informowano, że 99 procent sierot objętych programem uszczęśliwiał fakt, że zajmują się nimi całe wioski, oraz że na tylnej stronie okładki znajduje się spis miejscowości, chętnych do zaopiekowania się dziećmi, które straciły rodziców. Sieroty Baudelaire popatrzyły na wyszczerzone fotografie, na ozdobny aforyzm – i poczuły lekkie trzepotanie w żołądkach. Perspektywa całej wioski opiekunów obudziła w nich coś więcej niż zaniepokojenie. Już życie pod opieką kolejnych krewnych było dla Baudelaire'ów dostatecznie osobliwym doświadczeniem, więc doprawdy trudno było sobie wyobrazić, jak osobliwie żyłoby im się pod opieką setek ludzi.

– Uważa pan, że będziemy bezpieczni przed Hrabią Olafem pod opieką całej wioski? – spytała z powątpiewaniem Wioletka.

– No pewnie – odparł pan Poe. – Pod opieką całej wioski będziecie chyba bezpieczni jak nigdy. A poza tym, dzięki artykułowi w „Dzienniku Punctilio" Omar na pewno wkrótce zostanie ujęty.

– Olaf – poprawił go Klaus.

– No tak, tak właśnie chciałem powiedzieć: Omar. Co tam za miejscowości mamy na liście w broszurze? Proponuję, abyście sami wybrali sobie nowy dom.

Klaus odwrócił broszurę i zaczął czytać nazwy miejscowości.

– Paltryville. To tam, gdzie jest Tartak Szczęsna Woń. Tam było okropnie.

– Kalten! – krzyknęło Słoneczko, komunikując coś w sensie: „Nie wróciłabym tam za Chiny ludowe!".

– Następna miejscowość na liście nazywa się Nuda Wielka – odczytał Klaus. – Jakbym już gdzieś to słyszał...

– W pobliżu Nudy Wielkiej mieszkał Wujcio Monty – przypomniała mu Wioletka. – Nie jedźmy tam, bo będziemy jeszcze bardziej za nim tęsknić.

Klaus pokiwał głową na znak, że zgadza się z siostrą.

– Poza tym – dodał – miejscowość ta leży w pobliżu Parszywej Promenady, więc na pewno śmierdzi tam chrzanem. O, tu mam wioskę, o której nigdy nie słyszałem: Ofelia.

– Nie, nie – sprzeciwił się tym razem pan Poe. – Nie chcę, żebyście mieszkali w miejscowości, gdzie znajduje się Bank Ofelia. Wyjątkowo nie lubię tego banku, ilekroć tam jestem, staram się nawet koło niego nie przechodzić.

– Zuns! – powiedziało Słoneczko, czyli: „To śmieszne!", ale Klaus szturchnął je w bok i wskazał nazwę kolejnej miejscowości na liście. Na jej widok Słoneczko natychmiast zmieniło śpiewkę, co tu oznacza, że natychmiast powiedziało: – Gunc! – komunikując: „Tam zamieszkajmy!".

– Gunc jak nie wiem co! – przytaknął Klaus i pokazał Wioletce nazwę, o której rozmawiał ze Słoneczkiem.

Wioletka aż podskoczyła. Wszyscy troje spojrzeli po sobie i powtórnie poczuli łaskotanie w żo-

łądkach – tym razem jednak nie było to łaskotanie niepokoju, a raczej nadziei. Nadziei na to, że
może rzeczywiście ostatni telefon do pana Poe
rozwiąże wszystkie ich problemy, i może to, co
właśnie wyczytali na okładce broszury, okaże się
ważniejsze niż to, czego nie przeczytali w gazecie. Bowiem na samym dole spisu miejscowości,
pod Paltryville, Nudą Wielką i Ofelią, widniała
najważniejsza nazwa, jaką sieroty Baudelaire ujrzały tego ranka. Na tylnej okładce broszury od
pana Poe znaczyły się ozdobnym drukiem trzy litery: WZS.

Drugi

Gdy podróżujesz autobusem, na pewno trudno ci się zdecydować, gdzie usiąść: czy przy oknie, czy od przejścia, czy może pośrodku, o ile siedzenia są potrójne. Miejsce od przejścia ma tę zaletę, że można w każdej chwili swobodnie wyprostować nogi, ma jednak tę wadę, że inni pasażerowie będą nas potrącać, a nawet zdarzyć się może, że ktoś nadepnie nam na odcisk lub zachlapie czymś ubranie. Miejsce przy oknie ma tę zaletę, że zapewnia świetny widok na krajobraz, ma jednak tę wadę, że siedzący tam pasażer musi obserwować z bliska śmierć owadów rozbijających się o szybę rozpędzonego pojazdu. Natomiast miejsce pośrodku nie ma żadnej z wyżej wymienionych zalet, za to ma jeszcze jedną dodatkową wadę, tę mianowicie, że osoby siedzące po obu naszych stronach mają skłonność do polegiwania na nas, gdy się zdrzemną. Widzicie więc sami, że lepiej od razu wynająć limuzynę albo muła, zamiast decydować się na podróż autobusem.

Niestety, sieroty Baudelaire nie miały dość pieniędzy, aby wynająć limuzynę, a podróż do WZS na grzbiecie muła zajęłaby im kilka tygodni, i dlatego właśnie jechały do swojego nowego domu autobusem. Gdy ujrzały znajome inicjały na okładce broszury, zlękły się zrazu, że bardzo trudno będzie przekonać pana Poe, żeby tę właśnie miejscowość wybrał na ich nowego opiekuna – lecz w tej samej właśnie chwili rozdzwonił się jeden z telefonów na biurku bankiera, a po skończonej rozmowie pan Poe był już zbyt zaaferowany własnymi sprawami, aby kłócić się z dziećmi. Ledwie wystarczyło mu czasu na załatwienie formalności z radą miejską i odprowadzenie Baudelaire'ów na przystanek autobusowy. Gdy ich wyprawiał – co znaczy, że wsadził sieroty do autobusu, zamiast zrobić im grzeczność i odwieźć je osobiście do nowego domu – polecił im, by zaraz po przyjeździe zameldowali się w Ratuszu WZS, i kazał sobie obiecać, że nie zrobią nic, co naruszyłoby dobre imię jego banku.

Nim się Baudelaire'owie obejrzeli, Wioletka już siedziała na miejscu od przejścia, otrzepując zakurzony płaszczyk i masując nadepnięty palec u nogi, Klaus siedział przy oknie i usiłował dostrzec krajobraz przez grubą warstwę rozgniecionych owadów, a Słoneczko siedziało pomiędzy nimi, żując przegródkę fotela.

– Nie opiera! – warknęło groźnie, wywołując tym uśmiech na twarzy brata.

– Nic się nie martw, Słoneczko – powiedział Klaus. – Będziemy uważali, żeby się na tobie nie oprzeć, gdybyśmy się zdrzemnęli. Nie mamy zresztą wiele czasu na drzemkę, za chwilę powinniśmy dojechać do WZS.

– Jak myślisz, co oznacza ten skrót? – spytała Wioletka. – Ani w broszurze, ani na mapie, ani w rozkładzie jazdy autobusu nie znalazłam nic oprócz tych trzech inicjałów.

– Nie mam pojęcia – przyznał Klaus. – Może należało powiedzieć panu Poe o sekrecie WZS? Może on by nam pomógł?

– Wątpię – odparła Wioletka. – Jak dotąd, jeszcze nigdy nam nie pomógł. Jaka szkoda, że nie ma tu Bagiennych. Oni na pewno by nam pomogli.

– Jaka szkoda, że nie ma tu Bagiennych, nawet gdyby wcale nie mieli nam pomóc – powiedział Klaus, a obie siostry przytaknęły. Nie musieli już więcej mówić o tym, jak bardzo martwią się o los Bagiennych; po prostu resztę drogi przesiedzieli w milczeniu, żywiąc nadzieję, że pobyt w WZS przybliży ich jakoś do szczęśliwego ocalenia przyjaciół.

– WZS! – krzyknął w końcu kierowca autobusu. – Następny przystanek WZS! Uwaga, pasażerowie siedzący przy oknach: WZS już wyłania się na horyzoncie!

– Jak wygląda ta miejscowość? – spytała Wioletka Klausa.

Klaus wytężył wzrok poprzez warstwę rozgniecionych na szybie owadów.

– Płasko – odparł.

Wioletka i Słoneczko nachyliły się do okna
i stwierdziły, że ich brat mówi prawdę. Krajobraz
wyglądał tak, jakby ktoś narysował linię hory-
zontu – „horyzont" oznacza tutaj „granicę gdzie
kończy się niebo a zaczyna ziemia" – a potem zapomniał dorysować cokolwiek innego. Jak okiem
sięgnąć, rozciągała się sucha, płaska ziemia, na
której nie było nic, o co można by oko zaczepić,
najwyżej pojedyncze płachty porzuconych przy
szosie gazet, które na chwilę podrywał z ziemi
przejeżdżający autobus.

– Nie widzę żadnej miejscowości – powiedział
Klaus. – Czyżby WZS leżało pod ziemią?

– Nowedri! – zaprotestowało Słoneczko, komunikując: „Wcale mi się nie uśmiecha miesz-
kanie pod ziemią!".

– A może to tam? – wyraziła przypuszczenie
Wioletka, mrużąc oczy z wysiłku. – Widzicie
tam daleko, na horyzoncie, tę mglistą czarną

smugę? Wygląda stąd jak dym, ale może domy tak wyglądają z daleka?

– Nic nie widzę – odparł Klaus. – Pewnie zasłania mi ta rozgnieciona ćma. Zresztą, mglista smuga na horyzoncie to może być fatamorgana.

– Fata? – zaciekawiło się Słoneczko.

– Fatamorgana to złudzenie optyczne, częste zwłaszcza podczas upałów – wyjaśnił Klaus. – Wywołują je załamania światła przechodzącego przez na przemian gorące i zimne warstwy powietrza. Zwana jest również mirażem, ale ja wolę słowo fatamorgana.

– Ja też – przyznała Wioletka. – Miejmy jednak nadzieję, że to nie jest ani miraż, ani fatamorgana. Miejmy nadzieję, że to WZS.

– WZS! – zawołał kierowca i autobus zatrzymał się. – WZS! Pasażerowie wysiadający w WZS proszeni są do wyjścia!

Baudelaire'owie wstali, pozbierali swoje manatki i zaczęli przeciskać się przejściem, lecz gdy dotarli do drzwi autobusu, zawahali się, widząc przed sobą tylko płaski, pusty krajobraz.

– Czy to na pewno przystanek WZS? – spytała kierowcę Wioletka. – Myślałam, że WZS to miejscowość?

– Zgadza się – potwierdził kierowca. – Trzeba teraz iść w stronę tej mglistej czarnej smugi na horyzoncie. Fakt, że stąd wygląda jak... no, ten, tego, nie pamiętam jak się nazywa to złudzenie optyczne... w każdym razie tam jest ta miejscowość.

– A nie mógłby nas pan podwieźć trochę bliżej? – zaryzykowała nieśmiało Wioletka. – Jesteśmy z małym dzieckiem, a to zdaje się bardzo daleko.

– Chętnie bym wam pomógł – odparł uprzejmie kierowca, patrząc na Słoneczko – ale Rada Starszych wprowadziła bardzo surowe zasady. Wszystkich pasażerów do WZS muszę wysadzać tutaj, w przeciwnym razie naraziłbym się na surową karę.

– Rada Starszych? A cóż to takiego? – spytał Klaus.

– Hej tam! – krzyknął ktoś z tyłu autobusu. – Powiedz pan tym dzieciakom, żeby szybciej wysiadały! Drzwi otwarte i pełno owadów wpada do środka!

– Wysiadka, dzieciaki – zarządził kierowca.

Baudelaire'owie wysiedli więc na płaski teren WZS. Drzwi autobusu zamknęły się za nimi, kierowca machnął im ręką i autobus ruszył, pozostawiając dzieci same na pustej równinie. Sieroty patrzyły jeszcze chwilę za coraz mniejszym autobusem, a potem odwróciły się do mglistej czarnej smugi swego nowego domu.

– No tak, teraz coś widzę – stwierdził Klaus, mrużąc oczy za szkłami okularów. – Tylko oczom nie wierzę. Dojście tam zajmie nam chyba całe popołudnie.

– Więc nie gadajmy, tylko ruszajmy – zakomenderowała Wioletka, sadzając Słoneczko na szczycie swojej walizki. – Całe szczęście, że ta walizka jest na kółkach – powiedziała krzepiąco do siostrzyczki. – Dzięki temu będę cię mogła ciągnąć.

– Dzinki! – powiedziało Słoneczko, komunikując: „To bardzo uprzejmie z twojej strony!".

I Baudelaire'owie podjęli długi marsz ku mglistej czarnej smudze na horyzoncie. Już po kilku pierwszych krokach przykrości niedawnej jazdy autobusem wydały im się drobną kaszką. „Drobna kaszka" to takie powiedzenie, które nie ma nic wspólnego z rośliną zbożową o ziarnach wyjątkowo niedużych rozmiarów. Powiedzenie to charakteryzuje zmianę naszego stosunku do jakiegoś zjawiska, gdy ujrzymy je w porównaniu z innym zjawiskiem. Na przykład, spacerując po deszczu, moglibyście martwić się, że przemoczycie ubranie – ale gdybyście nagle, tuż za rogiem, stanęli oko w oko ze sforą wściekłych psów, przemoczone ubrania wydałyby wam się drobną kaszką w porównaniu z uciekaniem wąską uliczką przed ujadającymi psiskami, które chcą was pogryźć, a może nawet zjeść. Już na samym początku długiego marszu do WZS sieroty Baudelaire zrozumiały, że zdechłe owady, podeptane stopy i obawa, że drzemiący pasażer oprze się na ich ramieniu, to drobna kaszka w porównaniu ze znacznie bardziej nieprzyjemnymi rzeczami, które napotkały oto na swojej drodze. Nie mając na co wiać na tej płaskiej równinie, wiatr skupił swoje wysiłki na Wioletce, co tutaj znaczy, że już po chwili długie włosy Wioletki były tak potargane, jakby nigdy nie widziały grzebienia. Ponieważ Klaus szedł za Wioletką, wiatr niezbyt mu dokuczał, za to kurz, nie mając na czym osiadać na tej pustej równinie, skupił swoje wysiłki na środkowym przedstawicielu rodzeństwa Baudelaire'ów, tak że już wkrótce Klaus był pokryty kurzem od stóp do głów i wyglądał, jakby od lat nie brał prysznica. Słoneczko, usadowione na walizce Wioletki, nie miało do czynienia z kurzem, za to słońce, nie mając na co świecić na tym pustkowiu, skupiło swoje wysiłki właśnie na Słoneczku, które niebawem opaliło się tak, jakby spędziło pół roku nad morzem, a nie głupie parę godzin na walizce.

Chociaż miejscowość WZS była coraz bliżej, wciąż wyglądała równie mgliście jak z daleka. Zbliżając się do swego nowego miejsca zamieszkania, dzieci widziały coraz więcej budynków różnej wysokości i szerokości, rozdzielonych wąskimi i szerokimi ulicami; widziały nawet wysokie, cienkie latarnie uliczne i maszty flagowe wycelowane w niebo. Jednak wszystko to – od dachu najwyższego budynku po róg najwęższej ulicy – było czarne jak smoła, a w dodatku leciutko drżące, jak gdyby cała miejscowość wymalowana była na płachcie, która trzepocze na wietrze. Drżały domy, drżały latarnie, dygotały nawet całe ulice – takiej miejscowości Baudelaire'owie jeszcze nigdy nie widzieli. Wydała im się tajemnicza, lecz jak każda tajemnica, tak i WZS – ledwie dzieci dotarły na jego obrzeża – ujawniło swój sekret tajemniczego drżenia. Nie można jednak powiedzieć, aby rozwiązanie zagadki uspokoiło sieroty Baudelaire.

Miejscowość była pełna kruków. Na każdym dosłownie skrawku każdego obiektu siedział czarny ptak, zerkając podejrzliwym okiem na trójkę dzieci stojących na skraju WZS. Kruki obsiadły dachy wszystkich budynków, tłoczyły się na parapetach, na schodach i na chodnikach. Korony wszystkich drzew, od najwyższych gałęzi po sterczące z ziemi korzenie, zapełnione były czarnymi ptakami, a spore ich gromady okupowały ulice, pogrążone w kruczych pogwarkach. Kruki siedziały na latarniach i słupach flagowych, kruki gmerały w rynsztokach i odpoczywały między sztachetami płotów. Nawet na szczycie drogowskazu z napisem RATUSZ MIEJSKI siedziało sześć kruków. Strzałka drogowskazu wskazywała czarną od kruków ulicę. Kruki nie krakały, co na ogół czynią kruki, ani nie grały na trąbkach, czego nigdy nie czynią kruki, a mimo to w miejscowości WZS w żadnym razie nie panowała cisza. Powietrze szumiało od ptaków przemieszczających się po okolicy. Czasem jakiś kruk przeleciał z miejsca na miejsce, jakby nagle znudziło mu się siedzieć na skrzynce pocztowej i uznał, że ciekawiej będzie na klamce drzwi do budynku. Czasem kilka kruków naraz zatrzepotało, jakby zesztywniały od siedzenia pospołu na ławce i postanowiły rozprostować skrzydła. A niemal stale trwało krucze dreptanie w miejscu, trwały próby umoszczenia się wygodniej w tak strasznym ścisku. Cały ten ruch wyjaśniał tajemnicę drżenia miejskiego pejzażu oglądanego z daleka – nie poprawiał jednak bynajmniej humoru Baudelaire'om, którzy dość długo stali bez ruchu, bez słowa, próbując zebrać się na odwagę i wkroczyć między roztrzepotane czarne ptaszyska.

– Czytałem trzy książki o krukach – odezwał się wreszcie Klaus. – To zupełnie niegroźne ptaki.

– Tak, wiem – rzekła Wioletka. – To niezwykłe, zobaczyć tyle kruków w jednym miejscu, ale nie ma się czego bać. To drobna kaszka.

– Zimuster – przytaknęło jej Słoneczko.

Mimo to żadne z nich nie postąpiło ani kroku w stronę zakrakanego miasteczka. Uspokajające słowa – że kruki są niegroźne, że nie ma się czego bać, i „Zimuster", czyli „To niemądre, obawiać się zgrai ptaków" – nie uśmierzyły przeczucia Baudelaire'ów, że pakują się w jakąś strasznie grubą kaszę.

Gdybym to ja był którymś z Baudelaire'ów, wolałbym zostać tam na skraju miejscowości

WZS do końca życia i kwilić z przerażenia, zamiast dać choćby jeden krok w zakruczone ulice, lecz sieroty Baudelaire już po paru minutach odważyły się ruszyć przez rozszemrane, rozdreptane morze ptactwa w stronę Ratusza Miejskiego.

– To wcale nie jest takie trudne, jak myślałam – powiedziała Wioletka, dosyć cicho, aby nie wystraszyć ptaków znajdujących się najbliżej. – Może przesadą byłoby stwierdzenie, że brodzenie wśród kruków to drobna kaszka, ale, jak widać, jakoś można się przecisnąć.

– To prawda – przyznał Klaus, który patrzył bacznie pod nogi, żeby przypadkiem nie nadepnąć kruczego ogona. – One się nawet same usuwają przed nami na bok, tak troszeczkę.

– Raca – potwierdziło Słoneczko, posuwając się ostrożnie na czworakach. Mówiąc „Raca", Słoneczko zakomunikowało coś w sensie: „To prawie tak, jakby iść przez tłum milczących, ale bardzo grzecznych liliputów". Klaus i Wioletka uśmiechnęli się potwierdzająco. Wkrótce minęli pierwszy ciąg domów na obsadzonej krukami ulicy i na następnym rogu ujrzeli wysoki, imponujący budynek, który wyglądał jak z białego marmuru – przynajmniej te jego fragmenty, które Baudelaire'owie byli w stanie dostrzec, gdyż i ten gmach obsadzony był gęsto krukami. Nawet szyld RATUSZ MIEJSKI prezentował się jako USZ MI, z powodu trzech wielkich kruków, które przysiadły na nim jak na grzędzie, obracając lśniące paciorki oczu na Baudelaire'ów. Wioletka uniosła rękę, jakby chciała zapukać do drzwi, ale nagle się zawahała.

– O co chodzi? – spytał Klaus.

– O nic – odparła Wioletka, lecz jej dłoń nadal wisiała w powietrzu. – Chyba mam lekkiego pietra. To w końcu Ratusz Miejski WZS. Może za tymi drzwiami kryje się sekret, którego poszukujemy od chwili porwania Bagiennych.

– Lepiej nie róbmy sobie zbyt wielkich nadziei – powiedział Klaus. – Pamiętasz, jak jeszcze mieszkaliśmy u Szpetnych i zdawało nam się, że odkryliśmy sekret WZS? A to była pomyłka. Tym razem też możemy się mylić.

– Albo nie – odparła Wioletka. – A jeśli się nie mylimy, to lepiej przygotujmy się na najgorsze, zanim wejdziemy przez te drzwi.

– Chyba że jednak się mylimy – rzekł Klaus. – Wówczas na nic nie musimy się przygotowywać.

– Gaksu! – przerwało im Słoneczko, komunikując coś w sensie: „Nie ma co się kłócić, bo i tak nie dowiemy się, kto ma rację, dopóki nie zapukamy". I zanim brat i siostra zdążyli na to cokolwiek odpowiedzieć, Słoneczko obeszło na czworakach nogę Klausa i wzięło sprawę w swoje ręce, co tutaj znaczy: „zapukało zdecydowanie do drzwi drobnymi piąstkami".

– Wejść! – rozległ się donośny, wyniosły głos.

Dzieci otworzyły drzwi i znalazły się w wielkim pomieszczeniu, z bardzo wysokim sufitem, bardzo błyszczącą podłogą, bardzo długą ławą i bardzo realistycznymi portretami kruków na ścianach. Przed ławą, na niewielkiej platformie, stała pani w kasku motocyklowym, przed nią zaś, rzędami, ustawiono chyba ze sto składanych krzeseł, zajętych teraz przez osoby, które gapiły się na dzieci. Sieroty Baudelaire tymczasem nie gapiły się na nikogo z widowni. Wpatrywały się bowiem z natężoną uwagą w siedzących na ławie i były tym tak pochłonięte, że zupełnie zapomniały o składanych krzesłach.

Na ławie, sztywno, ramię przy ramieniu, siedziało dwadzieścioro pięcioro ludzi, których łączyły dwie rzeczy. Po pierwsze: wszyscy byli starzy – najmłodsza ławniczka, siedząca na samym końcu ławy, wyglądała na jakieś osiemdziesiąt jeden lat, a pozostali wydawali się znacznie od niej starsi. Ciekawsza była jednak druga rzecz, która łączyła ławników. W pierwszej chwili mogło się wydawać, że do sali wleciało dwadzieścia pięć kruków, które usadowiły się na głowach ławników. Gdy jednak Baudelaire'owie spojrzeli uważniej, zauważyli, że kruki nie mrugają, nie trzepocą skrzydłami ani w ogóle się nie poruszają – zrozumieli więc, że patrzą nie na żywe ptaki, lecz na czarne kapelusze w kształcie kruków. Kapelusze te wydały im się tak dziwne, że dzieci przez dłuższą chwilę nie zwracały uwagi na nic innego.

– Czy jesteście sierotami Baudelaire? – spytał skrzekliwym głosem jeden ze starców siedzących na ławie. Gdy mówił, kruk na jego głowie trzepotał nieznacznie, co dawało jeszcze śmieszniejszy efekt. – Oczekiwaliśmy was, chociaż nikt nas nie uprzedził, że wyglądacie tak odrażająco. Jak żyję nie widziałem równie potarganych, zakurzonych i opalonych dzieci. Czy na pewno jesteście tymi dziećmi, których oczekiwaliśmy?

– Tak – potwierdziła Wioletka. – Ja jestem Wioletka Baudelaire, to mój brat Klaus, a to moja siostra Słoneczko. Pragnę wyjaśnić, że przyczyną naszego wyglą...

– Ćśśś! – uciszył ją inny starzec. – Teraz nie mówi się o was. Przepis 492 Regulaminu stanowi wyraźnie, że Rada Starszych dyskutuje wyłącznie nad punktami porządku dziennego. W tej chwili tematem obrad jest nowy Szef Policji. Czy mieszkańcy zgłaszają jakieś zapytania pod adresem Oficer Lucjany?

– Owszem, ja mam pytanie! – zawołał pan w kraciastych spodniach. – Chciałbym wiedzieć, co się stało z naszym poprzednim Szefem Policji. Lubiłem go.

Kobieta na podium uniosła rękę w białej rękawiczce i Baudelaire'owie nareszcie ją zauważyli. Oficer Lucjana była wysoka i miała na sobie czarne buty z cholewami, granatowy mundur damski z lśniącą odznaką policyjną oraz kask motocyklowy z opuszczoną osłoną na oczy. Poniżej Baudelaire'owie widzieli tylko usta Oficer Lucjany, uszminkowane na wściekle czerwono.

– Poprzedni Szef Policji ma chrypkę – wyjaśniła, zwracając głowę w kasku w stronę pana, który zadał pytanie. – Połknął przypadkiem pudełko pinezek. Ale nie mówmy o nim. Teraz ja jestem waszym nowym Szefem Policji i dopilnuję, aby każdy, kto łamie przepisy, został należycie ukarany. Dalsza dyskusja jest bezcelowa.

– Zgadzam się – przytaknął ten członek Rady Starszych, który pierwszy zabierał głos. – Rada Starszych zamyka niniejszym debatę w sprawie Oficer Lucjany. Hektorze, proszę wprowadzić sieroty na platformę dyskusji.

Chudy dryblas w wymiętym kombinezonie wstał ze swojego składanego krzesła dokładnie w momencie, gdy Szefowa Policji z malowanym uśmiechem opuszczała platformę. Nie odrywając wzroku od podłogi, chudzielec podszedł do Baudelaire'ów, po czym wskazał palcem najpierw na Radę Starszych, a potem na pustą platformę. Dzieci, chociaż wolałyby otrzymać uprzejmiejszą instrukcję, pojęły w lot, co mają robić: Wioletka z Klausem wdrapali się na platformę i wciągnęli tam Słoneczko.

Głos zabrała jedna z dam Rady Starszych.

– Przechodzimy do omówienia sprawy opieki nad sierotami Baudelaire. W świetle nowego programu rządowego opiekę nad dziećmi obejmuje cała miejscowość WZS, ponieważ do wychowania dziecka trzeba całej wioski. Czy są jakieś pytania?

– Czy to ci sami Baudelaire'owie – odezwał się głos z końca sali – którzy są wmieszani w porwanie bliźniąt Bagiennych przez Hrabiego Omara?

Baudelaire'owie odwrócili się w tamtą stronę i ujrzeli panią w jaskrawo różowym szlafroku, z egzemplarzem „Dziennika Punctilio" w dłoni.

– W gazecie piszą, że ten groźny hrabia ugania się za nimi. Nie życzę sobie takich osób w naszej miejscowości!

– Zadbaliśmy już o to, pani Jutrzejsza – uspokoił ją jeden z członków Rady. – Za chwilę wyjaśnimy, jak. Na razie dzieci mają wyznaczonego opiekuna, a opiekun wyznacza dzieciom zadania do wykonania – wniosek stąd, że Baudelaire'owie będą wykonywali zlecenia całej wioski. Począwszy od jutra, wszyscy troje macie robić wszystko, co zlecą wam obywatele WZS.

Dzieci spojrzały po sobie z niedowierzaniem.

– Za pozwoleniem – bąknął nieśmiało Klaus. – Dzień ma tylko dwadzieścia cztery godziny, a obywateli jest tu, zdaje się, kilkuset. Jak mamy wykonać wszystko, co nam wszyscy zlecą?

– Cisza! – przerwało mu chórem kilku członków Rady Starszych, a najmłodziej wyglądająca członkini powiedziała: – Przepis 920 Regulaminu stanowi wyraźnie, że z platformy może przemawiać tylko oficer policji. Wy zaś jesteście sierotami, nie oficerami, więc macie się zamknąć. Z uwagi na miejscowe kruki będziecie musieli rozłożyć sobie plan pracy, jak następuje: do południa kruki gnieżdżą się w centrum WZS, więc wy wtedy wykonywać będziecie prace na peryferiach, żeby ptaki nie wchodziły wam w paradę. Po południu kruki przenoszą się na peryferie, więc wy wtedy przeniesiecie się z pracami do centrum. Proszę zwrócić szczególną uwagę na naszą nową fontannę, która zainstalowana została dziś rano. To piękny obiekt, wymagający stałego czyszczenia. Na noc kruki przenoszą się na Drzewo Nigdyjuż, które rośnie na samym skraju naszej miejscowości, więc z tym nie będzie problemu. Czy są jakieś pytania?

– Ja mam pytanie – powiedział pan w kraciastych spodniach. Wstał ze swojego składanego krzesła i wskazał palcem na Baudelaire'ów. – Gdzie oni będą mieszkać? Mogę się zgodzić, że do wychowania dziecka trzeba całej wioski, ale to chyba jeszcze nie znaczy, że rozwydrzone dzieciaki mają nam hałasować po domach, co?

– No właśnie – zawtórowała mu pani Jutrzejsza. – Jestem jak najbardziej za tym, żeby dzieci wykonywały nasze polecenia, ale nie mam zamiaru gnieździć się z nimi pod jednym dachem.

Odezwało się jeszcze kilku obywateli.

– Racja, racja! – zabrzmiało po sali, co w tym przypadku znaczyło: „Ja też nie życzę sobie, żeby Wioletka, Klaus i Słoneczko Baudelaire zamieszkali u mnie!".

Jeden z najstarszych z wyglądu członków Rady Starszych podniósł w górę obie ręce.

– Proszę o ciszę! – zaskrzeczał. – Nie ma powodu do paniki. Dzieci zamieszkają u Hektora, naszej złotej rączki. Hektor będzie je karmił, odziewał i pilnował, żeby wykonywały wszystkie polecenia. Na Hektorze spoczywa też obowiązek nauczenia dzieci przepisów regulaminu WZS, aby nie dopuszczały się więcej tak karygodnych występków, jak samowolne zabieranie głosu na platformie dyskusji.

– Dzięki Bogu – mruknął z ulgą pan w kraciastych spodniach.

– Baudelaire'owie! – zwróciła się do dzieci kolejna członkini Rady Starszych. Siedziała tak daleko od platformy, że musiała mocno wyciągnąć szyję, aby dojrzeć sieroty, i przez chwilę zdawało się, że kapelusz spadnie jej z głowy. – Zanim Hektor zabierze was do domu, na pewno chcielibyście zgłosić własne postulaty. Niestety, nie wolno wam teraz przemawiać, więc nie poinformujecie o nich zebranych. Pragnę jednak zaznaczyć, że pan Poe przesłał nam garść materiałów dotyczących wspomnianego Hrabiego Olafa.

– Omara – poprawiła ją pani Jutrzejsza, wskazując nagłówek w gazecie.

– Cisza! – zawołała Starsza. – Wy, Baudelaire'owie, z pewnością niepokoicie się z powodu tego całego Olafa, bądźcie jednak spokojni, że WZS, jako wasz opiekun, ochroni was przed nim. W tym właśnie celu wprowadziliśmy ostatnio nowy przepis, Przepis 19833 Regulaminu.

Stanowi on wyraźnie, że żadnemu przestępcy nie wolno przekraczać granic naszej miejscowości.

– Racja, racja! – zakrzyknęli obywatele, a Rada Starszych z aprobatą pokiwała głowami, aż zatrzęsły się ich kapelusze w kształcie kruków.

– A teraz, skoro nie ma więcej pytań – skonkludował jeden ze Starszych – uprasza się Hektora o zabranie sierot Baudelaire z platformy i odprowadzenie ich do domu.

Chudzielec w kombinezonie, ze wzrokiem wciąż wbitym w podłogę, podszedł bezgłośnie do platformy i wyprowadził dzieci z sali. Baudelaire'owie z trudem nadążali za panem złotą rączką, który jak dotąd nie powiedział ani słowa. Czyżby się martwił, że zlecono mu opiekę nad dziećmi? Czy pogniewał się na Radę Starszych? Czy może wcale nie mógł mówić? Sierotom Baudelaire przypomniał się jeden ze wspólników Hrabiego Olafa, ten, po którym trudno było poznać, czy to mężczyzna, czy kobieta: on też nigdy się nie odzywał. Dzieci trzymały się o parę kroków za Hektorem, gdy ten opuszczał budynek, bojąc się zbliżyć do człowieka tak dziwnego i milczącego.

Hektor otworzył wreszcie drzwi Ratusza Miejskiego, wypuścił dzieci na zewnątrz, i dopiero wtedy odetchnął głębiej – był to pierwszy odgłos, który dzieci usłyszały z jego ust. Następnie spojrzał po kolei na każde z Baudelaire'ów i uśmiechnął się do nich dobrotliwie.

– Nigdy nie czuję się swobodnie – rzekł miłym głosem – dopóki nie opuszczę Ratusza. Rada Starszych napędza mi strasznego pietra. Te ich surowe przepisy! Dostaję tam takiego pietra, że nigdy się nie odzywam podczas obrad obywatelskich. Za to jak tylko wyjdę z tego budynku, zaraz robi mi się lepiej. Wygląda na to, że spędzimy razem sporo czasu, więc ustalmy z góry parę spraw. Po pierwsze, mówcie mi Hektor. Po drugie, mam nadzieję, że lubicie kuchnię meksykańską, bo to moja specjalność. A po trzecie, chcę pokazać wam coś cudownego, i właśnie zbliża się na to odpowiednia pora. Słońce zaczyna zachodzić.

Istotnie. Baudelaire'owie nie zauważyli nawet, wychodząc z budynku, że popołudniowe światło przybladło i słońce zaczynało właśnie znikać za horyzontem.

– Śliczny widok – przyznała uprzejmie Wioletka, chociaż nigdy nie rozumiała, dlaczego ludzie robią tyle szumu wokół zachodów słońca.

– Ćśś, ćśś – uciszył ją Hektor. – Kogo obchodzą zachody słońca? Nie mówcie teraz nic, tylko obserwujcie kruki. To powinno się stać już za chwilę.

– Co powinno się stać? – spytał Klaus.

– Ćśśś – powtórzył Hektor, i w tej samej chwili coś zaczęło się dziać. Rada Starszych poinformowała już sieroty Baudelaire o obyczajach kruków, lecz dzieci nie poświęciły tej kwestii większej uwagi, co tu oznacza, że „nie wyobraziły sobie, nawet przez chwilę, jak wyglądać może przelot tysięcy kruków z miejsca na miejsce". Jeden z największych kruków – a może krukowa, trudno było poznać – siedzący dotąd na skrzynce pocztowej, pierwszy uniósł się w powietrze i z szumnym łopotem skrzydeł jął zataczać coraz większe koła nad głowami dzieci. Zaraz przyłączył się do niego drugi kruk, który siedział dotychczas na parapecie jednego z okien Ratusza, za nim wzleciał kruk z pobliskiego krzaka, potem trzy z chodnika, a potem już setki kruków naraz poderwały się do lotu i zaczęły krążyć w powietrzu – jak gigantyczny cień, który nagle uniósł się nad całą miejscowością. Baudelaire'owie zobaczyli nareszcie, jak wyglądają ulice WZS, a w miarę jak dalsze kruki zrywały się do lotu, mogli sobie obejrzeć coraz to liczniejsze detale architektoniczne budynków. Nie skorzystali jednak z tej okazji. Patrzyli bowiem w górę, na tajemniczy i przepiękny widok tysięcy ptaków kołujących po niebie.

– Czy to nie cudowne? – wykrzyknął Hektor. Rozpostarł długie, chude ramiona i z całych sił przekrzykiwał łopot ptasich skrzydeł. – Czy to nie cudowne?

Wioletka, Klaus i Słoneczko tylko kiwali głowami, gapiąc się na tysiące kruków krążących nam nimi niczym gęsta smuga dymu albo czarnego, świeżego atramentu – takiego właśnie, jakiego ja używam w tej chwili, spisując dla was tę relację – atramentu, który nie wiedzieć jakim cudem dostał się do nieba. Łopot skrzydeł brzmiał jak szelest milionów odwracanych kartek, a ich podmuch owiewał rozradowane twarze Baudelaire'ów. Przez moment, owiane tym przemożnym podmuchem, sieroty Baudelaire poczuły się tak, jakby i one mogły wzlecieć w powietrze, daleko od Hrabiego Olafa i wszystkich kłopotów, i dołączyć do kruków kołujących pod wieczornym niebem.

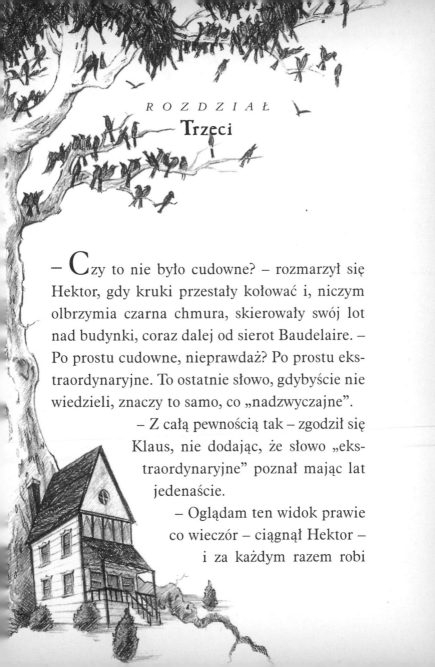

– Czy to nie było cudowne? – rozmarzył się Hektor, gdy kruki przestały kołować i, niczym olbrzymia czarna chmura, skierowały swój lot nad budynki, coraz dalej od sierot Baudelaire. – Po prostu cudowne, nieprawdaż? Po prostu ekstraordynaryjne. To ostatnie słowo, gdybyście nie wiedzieli, znaczy to samo, co „nadzwyczajne".

– Z całą pewnością tak – zgodził się Klaus, nie dodając, że słowo „ekstraordynaryjne" poznał mając lat jedenaście.

– Oglądam ten widok prawie co wieczór – ciągnął Hektor – i za każdym razem robi na mnie równie wielkie wrażenie. A także zaostrza mój apetyt. Co sobie dzisiaj zjemy na kolację? Może enchiladę z kurczęcia? To danie meksykańskie, kukurydziane tortille z nadzieniem z kurczaka, polane stopionym serem i specjalnym sosem, którego recepturę zdradził mi nauczyciel, gdy byłem w drugiej klasie. I co wy na to?

– Brzmi apetycznie – przyznała Wioletka.

– No to świetnie – ucieszył się Hektor. – Nie lubię wybrednych stołowników. Ale chodźmy już, porozmawiamy w drodze, bo do mojego domu jest dosyć daleko. Pozwólcie, że poniosę wam walizki, a wy sami możecie ponieść swoją siostrzyczkę. Wiem przecież, że musieliście przejść pieszo od przystanku do naszej miejscowości. To stanowczo dość dla małego dziecka.

Hektor złapał walizki i ruszył energicznie ulicą, na której było teraz całkiem pusto, jeśli nie liczyć walających się tu i ówdzie kruczych piór. Wysoko nad ich głowami kruki wykonywały właśnie ostry zakręt w lewo. Hektor wskazał je dzieciom walizką Klausa i dodał:

– Nie wiem, czy znacie wyrażenie „jak kruk przeleciał", więc na wszelki wypadek wyjaśnię, że znaczy ono: „w linii prostej". Jeżeli coś znajduje się o milę od nas jak kruk przeleciał, to znaczy, że idziemy do tego czegoś najkrótszą drogą. Zazwyczaj wyrażenie to nie ma nic wspólnego z prawdziwymi krukami, lecz w naszym przypadku ma. Znajdujemy się mniej więcej o milę od mojego domu jak kruk przeleciał – a ściślej, jak wszystkie nasze kruki przeleciały. Nocą gnieżdżą się one na Drzewie Nigdyjuż, które rośnie na moim podwórku. Nam jednak droga zajmie nieco dłużej, bo musimy przejść przez całe WZS, zamiast przefrunąć w powietrzu.

– Hektorze... – odezwała się nieśmiało Wioletka. – Zastanawialiśmy się właśnie, co dokładnie znaczy skrót WZS?

– No właśnie – podchwycił Klaus. – Proszę nam to wytłumaczyć.

– Bardzo chętnie – rzekł Hektor. – Chociaż nie wiem, czemu się tym tak emocjonujecie. To tylko kolejny głupi pomysł Rady Starszych.

Baudelaire'owie popatrzyli po sobie, nieco zmieszani.

– Jak to? – spytał Klaus.

– Ano tak. Około trzystu sześciu lat temu grupa podróżników odkryła to właśnie stado zwiastunów śmierci, które przed chwilą widzieliśmy.

– Sturo?

– Czy to znaczy, że ktoś z nas umrze? – zaniepokoiła się Wioletka.

– „Zwiastun śmierci" to tylko taka poetycka nazwa kruka, tak jak gołębia nazywamy „zwiastunem pokoju". Metafora, konwencja literacka. W każdym razie, podróżnicy byli pod wielkim wrażeniem zwyczajów migracyjnych naszych kruków – wiecie już, że obecnie rankiem fruną one zawsze na obrzeża miejscowości, po południu do centrum, a pod wieczór – na Drzewo Nigdyjuż. To bardzo niezwykły obyczaj. Podróżnicy byli nim tak zafascynowani, że postanowili tutaj zamieszkać. Wkrótce zbudowali osadę i nazwali ją WZS.

– Ale co znaczy WZS? – spytała Wioletka.

– Wioska Zakrakanych Skrzydlaków – wyjaśnił Hektor. – Wioska z czasem rozrosła się w miasteczko, ale nazwa pozostała. A „skrzydlaki" to, naturalnie, istoty, które...

– Wiemy, że chodzi o ptaki – skrócił jego wyjaśnienia Klaus. – I to jest cały sekret WZS? Wioska Zakrakanych Skrzydlaków?

– Jak to sekret? – zdziwił się Hektor. – To nie żaden sekret. Wszyscy wiedzą, co oznaczają te inicjały.

Baudelaire'owie wydali potrójne westchnienie zmieszania i rozczarowania, co nie jest zbyt miłą kombinacją.

– Mojemu bratu chodzi o to – wyjaśniła Wioletka – że wybraliśmy sobie na nowego opiekuna WZS, ponieważ wcześniej zdradzono nam pewien straszny sekret – sekret o inicjałach WZS.

– Kto go wam zdradził? – spytał Hektor.

– Nasi przyjaciele – odparła Wioletka. – Duncan i Izadora Bagienni. Dowiedzieli się czegoś o Hrabim Olafie, tylko że nie zdążyli zdradzić nam nic więcej, bo...

– Chwileczkę, chwileczkę – przerwał jej Hektor. – Co to za jakiś Hrabia Olaf? Pani Jutrzejsza wspomniała o niejakim Hrabim Omarze. Czy to może bracia?

– Nie – powiedział Klaus, wzdrygając się na samą myśl o tym, że Olaf mógłby mieć brata. – Obawiam się, że „Dziennik Punctilio" przedstawił błędnie wiele faktów.

– No to sprostujmy pomyłki – rzekł Hektor, skręcając za róg ulicy. – Najlepiej sami mi opowiedzcie, co się zdarzyło.

– To długa historia – powiedziała Wioletka.

– Nie szkodzi – uśmiechnął się Hektor. – Przed nami długa droga. Najlepiej zacznijcie od początku.

Dzieci spojrzały na Hektora, westchnęły i zaczęły od początku – od początku, który wydawał im się teraz tak odległy, że dziwiły się, iż jeszcze go pamiętają, i to z detalami. Wioletka opowiedziała Hektorowi o strasznym dniu na plaży, kiedy to ona i jej rodzeństwo dowiedzieli się od pana Poe, że ich rodzice zginęli w pożarze, który doszczętnie zniszczył dom Baudelaire'ów. Klaus opowiedział Hektorowi o dniach spędzonych pod opieką Hrabiego Olafa. Słoneczko – z pewną pomocą Klausa i Wioletki, którzy służyli za tłumaczy – opowiedziało o biednym Wujciu Montym oraz o strasznym losie Ciotki Józefiny. Potem Wioletka opowiedziała o tym, jak pracowali w Tartaku Szczęsna Woń, Klaus o pobycie w Szkole Powszechnej imienia Prufrocka, a Słoneczko zrelacjonowało koleje ich życia u Jeremiego i Esmeraldy Szpetnych, w apartamencie przy Alei Ciemnej 667. Wreszcie Wioletka opowiedziała Hektorowi o wszystkich kolejnych przebraniach Hrabiego Olafa oraz o każdym z jego niecnych wspólników, czyli o hakorękim, o dwóch białolicych, o łysym z długim nosem i o tym, który wyglądał jak ni to mężczyzna, ni kobieta i który przypomniał się Baudelaire'om w Ratuszu, w związku z dziwnym milczeniem Hektora. Klaus opowiedział szczegółowo o trojaczkach Bagiennych, o tajemniczym podziemnym przejściu wiodącym do dawnego domu

Baudelaire'ów i o cieniu nieszczęścia, który najwyraźniej nie odstępował dzieci od feralnego dnia na plaży. Gdy sieroty Baudelaire wyjawiły już Hektorowi swoją historię, wydało im się, że pan złota rączka niesie za nich ciężar o wiele większy niż tylko walizki. Miały wrażenie, że Hektor dźwiga wszystkie słowa, które przed chwilą usłyszał, i że pomaga im dźwigać wszystkie opisane tymi słowami zdarzenia. Dzieje ich życia były tak nieszczęsne, że trudno powiedzieć, aby opowieść o nich mogła uszczęśliwić sieroty – a jednak, ledwie Słoneczko zakończyło całą długą historię, Baudelaire'owie poczuli się tak, jakby dźwigali teraz na swych barkach znacznie mniejsze ciężary.

– Kjun – podsumowało Słoneczko, co Wioletka skwapliwie przetłumaczyła: „I dlatego właśnie wybraliśmy tę miejscowość: mieliśmy nadzieję, że odkryjemy tu sekret WZS, uratujemy trojaczki Bagienne i raz na zawsze pokonamy Hrabiego Olafa".

Hektor westchnął.

– Nie ma co, przeżyliście swoje – powiedział, używając wyrażenia, które znaczy: „mieliście kupę kłopotów, głównie z winy Hrabiego Olafa". Zatrzymał się na chwilę i popatrzył kolejno na Baudelaire'ów. – Jesteście wszyscy troje bardzo dzielni. Uczynię wszystko, abyście znaleźli u mnie prawdziwy dom. Chociaż muszę wam powiedzieć, że trafiliście chyba kulą w płot.

– Jak to? – zdziwił się Klaus.

– No cóż, przykro mi dodawać jeszcze jedną złą wiadomość do strasznej opowieści, której przed chwilą wysłuchałem – odrzekł Hektor – ale mam wrażenie, że inicjały, które podali wam Bagienni, i inicjały w nazwie naszej miejscowości są identyczne przez zwykły zbieg okoliczności. Jak już wspomniałem, miejscowość nasza nazywa się WZS od ponad trzystu lat. Niewiele się tu u nas zmieniło od tamtego czasu. Kruki przylatują zawsze w te same miejsca. Zebrania Rady Starszych odbywają się zawsze o tej samej godzinie. Mój ojciec był przede mną złotą rączką, a przed nim jego ojciec i tak dalej. Jedyna nowość w WZS to wy, dzieci, no i Ptasia Fontanna na przedmieściu, której czyszczeniem mamy się zająć jutro. Nie wydaje mi się, aby nasza miejscowość mogła mieć cokolwiek wspólnego z sekretem odkrytym przez Bagiennych.

Sieroty Baudelaire wymieniły zawiedzione spojrzenia.

– Podzik? – upewniło się żałośnie Słoneczko, mając na myśli: „Więc to znaczy, że przybyliśmy tutaj na próżno?".

Wioletka jednak przetłumaczyła pytanie siostrzyczki po swojemu:

– Moja siostra mówi, że to dla niej wielki zawód, iż trafiliśmy w niewłaściwe miejsce.

– Bardzo martwimy się o naszych przyjaciół – dodał Klaus. – I nie mamy zamiaru zaprzestać poszukiwań.

– Zaprzestać? – powtórzył Hektor. – Ależ kto mówi o zaprzestaniu? To, że nazwa miejscowości niczego nie wyjaśnia, nie znaczy wcale, że źle trafiliście. To fakt, że czeka nas mnóstwo pracy, ale w wolnych chwilach możemy przecież starać się zdobyć informacje o miejscu pobytu Duncana i Izadory. Jestem co prawda złotą rączką, a nie detektywem, ale postaram się pomóc wam w miarę swoich możliwości. Tylko musimy bardzo uważać. Rada Starszych ma tyle regulaminowych przepisów, że trudno tu cokolwiek zrobić bez złamania któregoś z nich.

– Po co Radzie Starszych tyle przepisów? – spytała Wioletka.

– A po co władze w ogóle wymyślają przepisy? – wzruszył ramionami Hektor. – Żeby rządzić ludźmi, a po co innego? Dzięki przepisom obowiązującym w WZS Rada Starszych może nakazywać ludziom, jak się mają ubierać, co mówić, co jeść, a nawet co budować. Prawo numer 67, na przykład, stanowi, że obywatelom nie wolno budować żadnych urządzeń mechanicznych.

– To znaczy, że i mnie nie wolno budować urządzeń mechanicznych? – spytała Wioletka. – Czy my, to znaczy ja i moje rodzeństwo, jesteśmy teraz obywatelami WZS, skoro WZS jest naszym opiekunem?

– Obawiam się, że tak – rzekł Hektor. – Musicie przestrzegać prawa numer 67 i wszystkich pozostałych praw.

– Ale Wioletka jest wynalazczynią! – zawołał Klaus. – Urządzenia mechaniczne to pasja jej życia!

– Doprawdy? – uśmiechnął się Hektor. – W takim razie będziesz mi niezmiernie pomocna, Wioletko. – Zatrzymał się i rozejrzał ostrożnie po ulicy, jakby był pewien, że wszędzie czają się szpiedzy, chociaż nigdzie nie było widać żywej duszy. – Umiecie dochować sekretu? – spytał cicho.

– Tak – odpowiedziała Wioletka.

Hektor rozejrzał się ponownie, po czym nachylił się ku dzieciom i szepnął:

– Kiedy Rada Starszych wprowadziła prawo numer 67, kazano mi usunąć z miasta wszystkie narzędzia i materiały konstruktorskie.

– A co ty na to powiedziałeś? – spytał Klaus.

– Nic – przyznał Hektor, skręcając z dziećmi za następny róg. – Wiecie już przecież, że przed Radą Starszych zawsze mam pietra i nic nie mówię. Ale za to coś zrobiłem. Zebrałem wszystkie materiały i przeniosłem do swojej stodoły, która służy mi teraz za warsztat.

– Zawsze marzyłam o tym, aby mieć własny warsztat – powiedziała Wioletka. Bezwiednie sięgnęła przy tym do kieszeni, wyciągnęła wstążkę i związała nią włosy, żeby nie wpadały jej do oczu, tak jakby już w tej chwili pracowała nad jakimś wynalazkiem, a nie tylko rozmawiała o takiej możliwości. – Co dotychczas wynalazłeś, Hektorze?

– Nic wielkiego, parę drobiazgów – odparł skromnie Hektor. – Ale pracuję właśnie nad wielkim projektem. Buduję samowystarczalny balonowy dom napędzany gorącym powietrzem.

– Nibdes? – zaciekawiło się Słoneczko, komunikując: „Czy mógłbyś nam to bliżej objaśnić?".

Hektora, jak się okazało, nie trzeba było dwa razy prosić o bliższe objaśnienie wynalazku.

– Nie wiem, czy lataliście kiedykolwiek balonem – powiedział – ale mało jest rzeczy równie emocjonujących. Człowiek stoi sobie w wielkim koszu, nad głową ma olbrzymi balon i patrzy z góry na całą okolicę, rozpostartą pod nim jak koc. To po prostu ekstraordynaryjne. No i to właśnie jest mój wynalazek: balon napędzany gorącym powietrzem, tyle że bardzo wielki. Zamiast jednego kosza ma dwanaście koszy, powiązanych razem pod olbrzymią dmuchaną kopułą. Każdy kosz stanowi oddzielny pokój, więc w ten sposób mamy cały latający dom. Całkowicie przy tym samowystarczalny: wystarczy raz wsiąść i można więcej nie wysiadać. Prawdę mówiąc, jeśli mój silnik działa prawidłowo, to powrót na ziemię może się nawet okazać niemożliwy. Żywotność silnika jest obliczona na ponad sto lat. Mam też wielki kosz z zapasami, pełen drewna opałowego, napojów, ubrań i książek. Gdy ukończę konstrukcję, będę mógł wreszcie odlecieć z WZS, zostawić Radę Starszych i wszystko, co napędza mi pietra, i zamieszkać na zawsze w powietrzu.

– Z opisu sądząc, to wspaniały wynalazek! – zachwyciła się Wioletka. – Jak udało ci się skonstruować samowystarczalny silnik?

– Właśnie z tym mam trochę kłopotów – przyznał Hektor. – Ale może wy troje rzucicie na niego okiem i uda nam się wspólnymi siłami dokończyć budowy silnika.

– Wioletka na pewno coś wymyśli – powiedział Klaus. – Co do mnie jednak, to nie jestem wielkim wynalazcą. Pociąga mnie raczej czytanie. Czy w WZS jest jakaś dobra biblioteka?

– Niestety, nie – odparł Hektor. – Prawo numer 108 stanowi, że biblioteka WZS nie może zawierać książek, które łamałyby którykolwiek z pozostałych przepisów regulaminu. Więc na przykład, jeżeli bohater książki posługuje się urządzeniem mechanicznym, to taka książka już się nie nadaje do naszej biblioteki.

– Ależ tych praw jest mnóstwo! – zauważył Klaus. – Więc jakie książki są dozwolone?

– Bardzo nieliczne – odparł Hektor – i prawie same nudne. Jedna nazywa się *Najmniejszy Elf* i przypuszczam, że jest to najnudniejsza książka na świecie. O potwornie denerwującym karzełku, który ma beznadziejnie nudne przygody.

– To fatalnie – mruknął ponuro Klaus – bo ja się spodziewałem, że w wolnych chwilach przeprowadzę tu pewne studia nad WZS. Chodzi mi naturalnie o nasz sekret, a nie o nazwę waszej miejscowości.

Hektor znów się zatrzymał i znów rozejrzał się czujnie po pustej ulicy.

– Umielibyście dotrzymać jeszcze jednej tajemnicy? – spytał, a Baudelaire'owie pokiwali głowami. – Rada Starszych kazała mi spalić wszystkie książki naruszające prawo numer 108 – szepnął konspiracyjnie – ale ja je wszystkie poprzenosiłem do mojej stodoły.

– To super! – ucieszył się Klaus. – Widywałem już biblioteki publiczne, biblioteki prywatne, biblioteki szkolne, biblioteki prawnicze, biblioteki gadoznawcze i biblioteki gramatologiczne, ale nigdy jeszcze nie widziałem tajnej biblioteki. To brzmi fascynująco.

– Może i brzmi fascynująco – zgodził się Hektor – ale i napędza mi sporego pietra. Rada Starszych bardzo, bardzo się złości, kiedy obywatele łamią przepisy regulaminu. Wolę nie myśleć, co by mi zrobili, gdyby się dowiedzieli, że w sekrecie korzystam z urządzeń mechanicznych i czytam ciekawe książki.

– Azator! – wtrąciło się Słoneczko, komunikując: „Nie martw się, będziemy milczeć jak grób!".

Hektor spojrzał z zaciekawieniem na Słoneczko.

– Nie wiem, co znaczy „azator" – powiedział – ale domyślam się, że może to oznaczać: „Nie zapominajcie o mnie!". Wioletka będzie korzystała z warsztatu, Klaus z biblioteki, a co ze Słoneczkiem? Co najbardziej lubisz robić, Słoneczko?

– Gryzi! – odparło zdecydowanie Słoneczko, aż Hektor zmarszczył brwi i rozejrzał się w popłochu.

– Nie tak głośno, Słoneczko! – szepnął. – Prawo numer 4561 stanowi wyraźnie, że obywatelom nie wolno używać otworów gębowych dla przyjemności. Gdyby się Rada Starszych dowiedziała, że lubisz gryźć dla przyjemności, nie wyobrażam sobie, co by ci zrobili. Na pewno znajdzie się w domu coś do gryzienia, tylko musisz gryźć w sekrecie. No, jesteśmy na miejscu.

Hektor skręcił za ostatni róg ulicy i dzieci ujrzały po raz pierwszy swoje nowe miejsce zamieszkania. Ulica, którą przed chwilą szły, skończyła się nagle właśnie za ostatnim rogiem, przed nimi zaś rozciągał się rozległy, płaski teren, bardzo podobny do krajobrazu, który mijały wcześniej, w drodze z przystanku do WZS. Na płaskim horyzoncie majaczyły tylko trzy obiekty. Pierwszym był spory, solidny dom, ze spadzistym dachem i dużą werandą, na której spokojnie mieścił się stół i cztery drewniane krzesła. Drugim była gigantyczna stodoła, tuż przy domu, mieszcząca warsztat i bibliotekę, o których wspomniał dzieciom Hektor. Najbardziej intrygująco wyglądał jednak obiekt trzeci.

Trzecim obiektem na horyzoncie było Drzewo Nigdyjuż, lecz nazwać je drzewem to mniej więcej tak, jak nazwać Ocean Spokojny zbiornikiem wodnym albo Hrabiego Olafa osobnikiem źle wychowanym, albo historię mego romansu z Beatrycze odrobinę smutną. Drzewo Nigdyjuż było drzewem gargantuicznych rozmiarów, co tu oznacza, że „osiągnęło niespotykany rozrost tkanki botanicznej", co z kolei oznacza, że „było najwyższym drzewem, jakie sieroty Baudelaire widziały w swoim życiu". Pień miało tak gruby, że Baudelaire'owie mogliby się za nim schować we troje, razem ze słoniem, trzema końmi i śpiewaczką operową – a i tak jeszcze by ich nie było widać z drugiej strony. Gałęzie jego rozpinały się na wszystkie strony niczym wachlarz, wyższy od domu i szerszy od stodoły. A wyglądało na jeszcze wyższe i jeszcze szersze z powodu tego, co na nim siedziało. Siedziały na nim bowiem wszystkie kruki z WZS, co do jednego, tworząc na potężnej sylwecie drzewa dodatkową warstwę rozszemranej czerni. Ponieważ kruki dotarły do gospodarstwa Hektora jak kruk przeleciał, zamiast na piechotę, przybyły tam na długo przed Baudelaire'ami, i całe powietrze wypełniał teraz szmer ptaków szykujących się na spoczynek.

Kilka już spało i dzieci, zbliżając się do domu, usłyszały ich ciche pochrapywania.

– No i co wy na to? – zagadnął Hektor.

– Wspaniałe! – powiedziała Wioletka.

– Ekstraordynaryjne! – dodał Klaus.

– Ogufod! – stwierdziło Słoneczko, komunikując: „Ale masa kruków!".

– Odgłosy kruków mogą wam się początkowo wydać dziwne – powiedział Hektor, prowadząc dzieci do domu po schodkach werandy – ale na pewno szybko do nich przywykniecie. Zawsze zostawiam na noc otwarte okna. Odgłosy kruków przypominają mi szum oceanu, a to mnie bardzo uspokaja i usypia. Skoro już mowa o spaniu, na pewno jesteście bardzo zmęczeni. Przygotowałem dla was trzy pokoje na górze, ale jeśli wam się nie spodobają, możecie przenieść się do innych. W domu jest pełno miejsca. Zmieszczą się nawet Bagienni, gdybyśmy ich znaleźli. Myślę, że będziecie się tutaj doskonale czuli w piątkę, nawet jeśli przyjdzie wam co dzień wykonywać prace na zlecenie wszystkich obywateli WZS.

– To brzmi wspaniale! – uśmiechnęła się do niego Wioletka. Sama myśl o tym, że trojaczki mogą znaleźć się przy nich, całe i zdrowe, zamiast tkwić w szponach Hrabiego Olafa, ogromnie rozradowała Baudelaire'ów. – Duncan jest przecież dziennikarzem, więc mógłby założyć tutaj swoją gazetę; wówczas obywatele WZS nie byliby skazani na czytanie błędnych informacji „Dziennika Punctilio".

– A Izadora jest poetką – dodał Klaus. – Mogłaby napisać zbiór wierszy do naszej biblioteki – naturalnie wierszy nie o tym, co jest niezgodne z przepisami.

Hektor otwierał właśnie drzwi, ale zamarł z kluczem w zamku i odwrócił się do Baudelaire'ów z dziwną miną.

– Poetka? – spytał. – A jakie pisze wiersze?

– Kuplety – odparła Wioletka.

Hektor zrobił jeszcze dziwniejszą minę. Postawił na podłodze walizki Baudelaire'ów i sięgnął do kieszeni kombinezonu.

– Kuplety? – upewnił się.

– Tak – potwierdził Klaus. – Izadora lubi dwuwersowe utwory rymowane.

Hektor zrobił jedną z najdziwniejszych min, jakie Baudelaire'om zdarzyło się widzieć, i pokazał dzieciom wyciągnięty z kieszeni zwitek papieru, skręcony w miniaturową rolkę.

– Takie jak ten? – spytał, rozwijając rulonik.

Sieroty Baudelaire musiały zmrużyć oczy, aby odczytać cokolwiek w poświacie gasnącego słońca, a gdy już odczytały, musiały odczytać jeszcze raz, by się upewnić, że słońce nie płata im figli i że rzeczywiście widzą na karteczce to, co widzą, wypisane nieco chwiejnym, lecz znanym Baudelaire'om charakterem pisma:

Fałszywiec dla szafirów nas tu niecnie schował.
Obyście nas zdołali w porę uratować!

Sieroty Baudelaire popatrzyły na świstek papieru, potem na Hektora, a potem znów na świstek papieru. I znów na Hektora, i znów na świstek, i znów na Hektora, i znów na świstek, i jeszcze raz na Hektora, i jeszcze raz na świstek papieru. Usta miały otwarte, jakby bardzo chciały coś powiedzieć, lecz na to, co chciały powiedzieć, zabrakło im słów.

Wyrażenie „grom z jasnego nieba" opisuje sytuację najwyższego zdumienia, która przyprawia człowieka o zawrót głowy, miękkość kolan i dygot całego ciała – właśnie tak, jakby trafił weń nagle grom z jasnego nieba. O ile nie jest się żarówką, urządzeniem elektrycznym albo drzewem znużonym ciągłym staniem na baczność, trudno uznać uderzenie gromu z jasnego nieba za przyjemne doświadczenie, toteż dzieci przez dobre parę minut stały jak wryte na stopniach werandy domu Hektora, odczuwając niemiłe sensacje – zawroty głowy, miękkość kolan i dygot całego ciała.

– Na litość boską, Baudelaire'owie – odezwał się Hektor. – Jeszcze nigdy nie widziałem nikogo tak zdumionego. Wejdźcie, proszę, do środka i usiądźcie sobie. Wyglądacie, jakby was trafił grom z jasnego nieba.

Baudelaire'owie weszli za Hektorem do domu i przeszli przez hol do salonu, gdzie usiedli na kanapie, cały czas bez słowa.

– Posiedźcie sobie tutaj chwilę – zaproponował Hektor – a ja zrobię wam gorącej herbaty. Może zdołacie przemówić, zanim się zaparzy.

Hektor schylił się i podał świstek papieru Wioletce, pogłaskał po główce Słoneczko i wyszedł z salonu, zostawiając dzieci same. Wioletka bez słowa rozwinęła zwitek papieru i wszyscy troje przeczytali kuplet jeszcze raz.

Fałszywiec dla szafirów nas tu niecnie schował.
Obyście nas zdołali w porę uratować!

– To ona – szepnął Klaus jak najciszej, żeby Hektor nie usłyszał. – Jestem pewien. To Izadora Bagienna napisała ten wiersz.

– Ja też tak myślę – szepnęła Wioletka. – Jestem pewna, że to jej charakter pisma.

– Tuwim! – szepnęło Słoneczko, komunikując: „Wiersz jest ponadto utrzymany w charakterystycznym stylu Izadory!".

– W wierszu jest mowa o szafirach – zauważyła Wioletka – a przecież rodzice trojaczków zostawili im w spadku słynne szafiry Bagiennych.

– Olaf porwał ich właśnie dla szafirów – dodał Klaus. – Na pewno do tego odnoszą się słowa z pierwszego wersu: „Dla szafirów nas tu niecnie schował".

– Peng? – spytało Słoneczko.

– Nie mam pojęcia, skąd Hektor ma ten zwitek – odparła Wioletka. – Zapytajmy go.

– Nie tak szybko – powstrzymał ją Klaus. Wziął świstek od Wioletki i przyjrzał mu się jeszcze raz. – Może Hektor jest jakoś wmieszany w sprawę porwania?

– O tym nie pomyślałam – przyznała Wioletka. – Naprawdę tak uważasz?

– Sam nie wiem – odrzekł Klaus. – Hektor nie jest podobny do żadnego ze wspólników Hrabiego Olafa, ale zdarzało się już, że nie rozpoznaliśmy ich w przebraniu.

– Wryp – przyznało z namysłem Słoneczko, komunikując: „To prawda".

– Wygląda na człowieka budzącego zaufanie – powiedziała Wioletka. – Z takim przejęciem pokazywał nam przelot kruków, tak go interesowały koleje naszego losu... Kidnaper raczej się tak nie zachowuje, ale oczywiście nigdy nic nie wiadomo.

– No właśnie – podsumował Klaus. – Nigdy nic nie wiadomo na pewno.

– Herbata gotowa – zawołał zza ściany Hektor. – Jeśli czujecie się na siłach, zapraszam do mnie do kuchni. Siądziecie sobie przy stole, a ja będę szykował enchiladę.

Sieroty Baudelaire spojrzały po sobie i kiwnęły głowami.

– Obra! – odkrzyknęło Słoneczko i ruszyło przodem, prowadząc rodzeństwo do obszernej, przytulnej kuchni.

Dzieci zajęły miejsca przy okrągłym, drewnianym kuchennym stole, na którym Hektor ustawił trzy parujące kubki herbaty. W milczeniu patrzyły, jak Hektor zabiera się do gotowania kolacji. To oczywiście prawda, że nigdy nie wiadomo na pewno, komu można ufać, a komu nie, z tego choćby prostego powodu, że okoliczności ludzkiego życia bez przerwy się zmieniają. Bywa tak, że znasz kogoś od wielu lat i ufasz mu jako przyjacielowi, ale nagle okoliczności się zmieniają, twój przyjaciel odczuwa straszny głód, i nim się obejrzysz, już wylądowałeś w garnku z zupą, bo naprawdę nigdy nic nie wiadomo.

Ja na przykład zakochałem się w cudownej kobiecie, która była tak urocza i inteligentna, że zaufałem jej, iż zostanie moją żoną, ale ponieważ nigdy nic nie wiadomo, i tym razem okoliczności wkrótce się zmieniły i moja narzeczona wyszła za mąż za kogoś innego, tylko dlatego, że wyczytała coś tam w „Dzienniku Punctilio". Akurat sierotom Baudelaire nikt doprawdy nie musiał tłumaczyć, że nigdy nic nie wiadomo na pewno, bo zanim zostały sierotami, żyły przez wiele lat pod troskliwą opieką swoich rodziców. Ufały rodzicom, że nie przestaną się nimi opiekować, a tu nagle okoliczności się zmieniły, i oto teraz rodzice byli martwi, a dzieci zamieszkały u pana złotej rączki w miejscowości pełnej kruków. Ale nawet jeśli nigdy nic nie wiadomo na pewno, często okazuje się, że wiadomo prawie na pewno, są na to sposoby, i właśnie Baudelaire'owie, obserwując Hektora przy kuchni, zaczęli takie sposoby dostrzegać. Na przykład melodyjka, którą nucił sobie Hektor siekając składniki kulinarne, brzmiała miło i uspokajająco, nie tak jak Baudelaire'owie wyobrażali sobie melodyjkę, którą mógłby nucić pod nosem kidnaper. Gdy Hektor zauważył, że herbata, którą podał Baudelaire'om, jest nadal za gorąca do wypicia, podszedł do stołu i podmuchał kolejno na wszystkie trzy kubki, żeby ją ostudzić – a doprawdy trudno było sobie wyobrazić, że ktoś mógłby jednocześnie więzić parę trojaczków i studzić dmuchaniem herbatę trójki innych dzieci. A najprzyjemniejsze ze wszystkiego było to, że Hektor nie zadręczał dzieci pytaniami o to, dlaczego tak się nagle zdziwiły i zamilkły. Po prostu sam też zamilkł i czekał, aż Baudelaire'owie odzyskają język w gębie i powiedzą coś na temat zwitka papieru, który od niego dostali – Baudelaire'owie uznali to za niemożliwe, aby taki taktowny człowiek mógł być w jakikolwiek sposób związany z Hrabią Olafem. Oczywiście, nigdy nic nie wiadomo, ale gdy przyglądali się, jak pan złota rączka wsuwa blachę z enchiladami do piekarnika, jakoś nabrali do niego zaufania, a gdy już wszyscy razem siedzieli przy stole i zabierali się do jedzenia – dzieci gotowe były powiedzieć Hektorowi prawdę o kuplecie, który przed chwilą przeczytały.

– Ten wiersz napisała Izadora Bagienna – oznajmił Klaus bez ceregieli, co tu oznacza: „ledwie Hektor zasiadł do stołu".

– O rany! – powiedział Hektor. – Nic dziwnego, że tak się zdumieliście. Ale skąd ta pewność? Dużo ludzi pisuje kuplety. Na przykład Ogden Nash.

– Ogden Nash nie pisuje o szafirach – zauważył Klaus, który na siódme urodziny dostał w prezencie biografię Ogdena Nasha. – A Izadora tak. Rodzice Bagiennych zostawili im w spadku szafirową fortunę. Tego właśnie dotyczy wers: „Fałszywiec dla szafirów nas tu niecnie schował".

– Poza tym – dodała Wioletka – to jest charakter pisma Izadory i jej niepowtarzalny styl poetycki.

– No, skoro mówicie, że ten wiersz napisała Izadora Bagienna, to ja wam wierzę.

– Powinniśmy zatelefonować do pana Poe i zawiadomić go o tym – powiedział Klaus.

– To niemożliwe – odrzekł Hektor. – W WZS nie ma telefonów, bo telefony to urządzenia mechaniczne. Rada Starszych może mu najwyżej przesłać wiadomość. Ja ich o to nie poproszę, bo mam pietra, ale wy możecie, o ile macie taką chęć.

– Zanim zwrócimy się do Rady Starszych, chcielibyśmy dowiedzieć się czegoś więcej o tym kuplecie – rzekła Wioletka. – Jakim cudem ten zwitek papieru trafił w twoje ręce?

– Znalazłem go dzisiaj pod Drzewem Nigdyjuż. Wstałem rano i szedłem właśnie na przedmieścia do porannej pracy, kiedy zauważyłem coś białego wśród czarnych piór, które pozostawiły po sobie kruki. To był właśnie ten świstek papieru, zwinięty w rulonik. Nie zrozumiałem, o co chodzi w wierszu, a że spieszyłem się do pracy, wsadziłem zwitek do kieszeni kombinezonu i zapomniałem o nim aż do chwili, gdy zaczęliśmy rozmawiać o kupletach. To doprawdy bardzo tajemnicza sprawa. Jakim cudem wiersz Izadory mógł się znaleźć na moim podwórku?

– Z całą pewnością nie przywędrował tutaj sam, wiersze nie mają tego w zwyczaju – zauważyła Wioletka. – Izadora musiała go tu sama podrzucić. To znaczy, że jest gdzieś w pobliżu.

Hektor pokręcił głową.

– Nie sądzę – powiedział. – Sami już wiecie, jaka to płaska okolica. Widać wszystko w promieniu paru mil, a tu, na samym skraju WZS, mamy tylko dom, stodołę i Drzewo Nigdyjuż. Proszę bardzo, możecie przeszukać dom, ale nie znajdziecie w nim Iżadory Bagiennej ani nikogo innego, a stodołę zawsze trzymam zamkniętą, bo nie chcę, żeby Rada Starszych dowiedziała się, że łamię przepisy.

– Więc może Izadora siedzi na drzewie? – zasugerował Klaus. – Na takim wielkim drzewie Olaf mógł ją z łatwością schować.

– No właśnie – przytaknęła Wioletka. – Ostatnim razem Olaf trzymał ich głęboko pod ziemią, więc może tym razem wybrał kryjówkę gdzieś wysoko. – Sama zadrżała na myśl, jak nieprzyjemnie byłoby być uwięzioną w konarach Drzewa Nigdyjuż. Odsunęła krzesło od stołu i wstała. – Pozostaje nam tylko jedno do zrobienia. Musimy wdrapać się na drzewo i sprawdzić.

– Masz rację – przyznał Klaus, stając obok siostry. – Chodźmy.

– Gerit! – przyłączyło się do nich Słoneczko.

– Chwileczkę! – powstrzymał dzieci Hektor. – Nie możemy tak po prostu wspiąć się na Drzewo Nigdyjuż.

– Dlaczego nie? – spytała Wioletka. – Myśmy się już wspinali po wieży i wewnątrz szybu windy. Wspiąć się na drzewo to dla nas żaden problem.

– Nie wątpię, że umiecie się doskonale wspinać – powiedział Hektor – ale nie o to mi chodziło. – Wstał z miejsca i podszedł do kuchennego okna. – Wyjrzyjcie na zewnątrz. Słońce już całkiem zaszło. Nie zobaczycie po ciemku swojej przyjaciółki na Drzewie Nigdyjuż. Poza tym, całe drzewo obsiadły ptaki. Nie dacie rady przedrzeć się przez gałęzie pełne kruków – to syzyfowa praca.

Baudelaire'owie wyjrzeli przez okno i stwierdzili, że Hektor ma rację. Drzewo widoczne było już tylko jako olbrzymi cień, wystrzępiony na obrzeżach, gdzie siedziały kruki. Dzieci musiały przyznać, że wspinanie się na drzewo w tych warunkach to syzyfowa praca, co tutaj znaczy: „trud, który i tak nie zakończy się odnalezieniem miejsca ukrycia Bagiennych". Klaus i Słoneczko spojrzeli na siostrę z nadzieją, że wymyśli jakieś rozwiązanie, i z ulgą usłyszeli, że istotnie coś wymyśliła, jeszcze zanim zdążyła związać włosy wstążką.

– Możemy wziąć reflektor – powiedziała Wioletka. – Jeśli masz w domu kawałek blachy, stary kij od szczotki i trzy gumki aptekarskie, potrafię w dziesięć minut skonstruować reflektor.

Hektor pokręcił głową.

– Światło reflektora zaniepokoiłoby kruki – powiedział. – Gdyby tak ciebie ktoś nagle obudził w środku nocy, świecąc ci w oczy, byłabyś chyba bardzo zła. Nie chcesz chyba znaleźć się oko w oko na drzewie z tysiącami rozzłoszczonych kruków. Lepiej już poczekać do rana, aż kruki odlecą na przedmieścia.

– Nie możemy czekać do rana – oburzył się Klaus. – Nie możemy czekać ani sekundy dłużej. Ostatnim razem, gdy ich znaleźliśmy, zostawiliśmy ich na głupie parę minut, a gdy wróciliśmy, nie było po nich ani śladu.

– Owmarde! – pisnęło Słoneczko, komunikując: „Olaf może ich stamtąd zabrać w każdej chwili!".

– Na pewno nie teraz – stwierdził spokojnie Hektor. – Byłoby mu równie trudno jak wam wspiąć się na drzewo.

– Coś trzeba zrobić – zniecierpliwiła się Wioletka. – Ten wiersz to nie jest taki sobie kuplet. To wołanie o pomoc! Izadora zresztą sama dodaje: „Obyście nas zdołali w porę uratować". Nasi przyjaciele są w niebezpieczeństwie, a naszym zadaniem jest ich uwolnić.

Hektor wyciągnął z kieszeni kombinezonu kucharskie rękawice i zaczął wyciągać enchilady z pieca.

– Coś wam powiem – zaproponował. – Wieczór jest piękny, a nasza kolacja gotowa. Siądźmy

sobie z jedzeniem na werandzie, to będziemy
mieli cały czas oko na Drzewo Nigdyjuż. Teren
jest tu tak płaski, że nawet w nocy widać z daleka, czy ktoś nie idzie, więc gdyby Hrabia Olaf –
albo ktokolwiek inny – próbował się podkraść,
zauważymy go na pewno.

– A jeśli Hrabia Olaf zrobi swoje dopiero po
kolacji? – odezwał się Klaus. – Nie, nie, żeby
mieć pewność, że nikt nie podchodzi do drzewa,
musimy czuwać całą noc.

– Możemy spać na zmianę – powiedziała Wioletka – tak, żeby w każdej chwili jedno z nas stało na warcie.

Hektor już miał pokręcić głową, ale pohamo-
wał się, gdy spojrzał na dzieci.

– W zasadzie uważam, że dzieci nie powinny
późno chodzić spać – rzekł po chwili – chyba że
czytają akurat świetną książkę, oglądają znako-
mity film albo uczestniczą w przyjęciu z wyjątkowo ciekawymi gośćmi. Ale tym razem gotów
jestem uczynić wyjątek. Sam pewnie zaraz za-
snę, ale wy troje możecie, jeśli chcecie, czuwać

całą noc. Tylko błagam was, żebyście mi po nocy nie łazili po Drzewie Nigdyjuż. Rozumiem wasz niepokój, lecz nie wątpię, że jedyne, co w tej sytuacji można zrobić, to poczekać do rana.

Baudelaire'owie popatrzyli po sobie i westchnęli. Tak strasznie niepokoili się o Bagiennych, że najchętniej natychmiast pobiegliby się wdrapać na Drzewo Nigdyjuż. W głębi duszy wiedzieli jednak, że Hektor ma rację.

– Chyba masz rację, Hektorze – powiedziała Wioletka. – Poczekamy z tym do rana.

– To jedyne, co w tej sytuacji można zrobić – przyznał Klaus.

– Kontra! – pisnęło Słoneczko i podniosło łapki, żeby Klaus wziął je na ręce. Komunikowało w ten sposób coś w sensie: „A ja mam inny pomysł, tylko podnieście mnie do haczyka, na który zamyka się okno!".

Klaus podniósł siostrzyczkę, a Słoneczko drobnymi paluszkami zdjęło haczyk i pchnięciem otworzyło okno, wpuszczając do środka chłodny wieczorny powiew i szemranie kruków.

Następnie wychyliło się najdalej, jak mogło i zakrzyknęło głośno w ciemną noc:

– Hop, hop!

Istnieje wiele wyrażeń na określenie czynności, której wykonywanie nie ma sensu. Najbardziej potoczne z nich to „próżny trud". Można też użyć wyrażenia „syzyfowa praca", chociaż nie każdy wie, kto to był Syzyf. „Próba ocalenia Lemony Snicketa przez pisanie listów do władz, zamiast przez wykopanie podziemnego tunelu z więzienia na wolność" – to trzecie przydatne w takiej sytuacji wyrażenie, niestety zbyt szczegółowe. Przyznać muszę, niestety, że „Hop, hop!" wykrzyczane przez Słoneczko przywodzi na myśl jeszcze inne wyrażenie – to, które opisuje bezsensowną czynność wprost idealnie.

Krzycząc „Hop, hop!" Słoneczko zakomunikowało: „Bagienni! Jeśli siedzicie na tym drzewie, wytrzymajcie do rana, a wtedy na pewno was uratujemy!". Niestety, wyrażeniem, które najlepiej charakteryzuje apel Słoneczka, jest „głos wołającego na puszczy". Zapewnienie Izadory i Dunca-

na, że Baudelaire'owie pomogą im wydostać się
z łap Hrabiego Olafa, było wielce szlachetnym
gestem ze strony najmłodszej z nich, lecz gestem,
który w tamtych okolicznościach nie miał sensu.

– Hop hop! – krzyknęło jeszcze raz Słoneczko.

Hektor wynosił właśnie pełne talerze na we-
randę, wiodąc za sobą Baudelaire'ów, aby mogli
zjeść enchiladę z kurczaka na świeżym powietrzu, obserwując zarazem Drzewo Nigdyjuż. Po-
wtarzając okrzyk, Słoneczko po raz drugi uczyni-
ło rzecz bez sensu. Baudelaire'owie nie wiedzieli
tego jednak, zajadając kolację na werandzie,
z widokiem na olbrzymie, rozszemrane drzewo.
Nie wiedzieli tego również, czuwając tam na
zmianę przez całą noc, wypatrując na płaskim
horyzoncie jakiejkolwiek nadchodzącej postaci
i drzemiąc obok Hektora na poduszce stołowego
blatu. Dopiero kiedy słońce zaczęło wschodzić
i pierwszy kruk opuścił Drzewo Nigdyjuż, i zaczął krążyć nad jego koroną, a po nim trzy na-
stępne, i jeszcze siedem, i jeszcze dwanaście, aż
poranne niebo zapełniło się łopotem skrzydeł

tysięcy kruków, które kołowały i kołowały nad głowami dzieci, a dzieci wstały z wiklinowych krzeseł i pospieszyły do drzewa, aby szukać tam śladu Bagiennych – dopiero wówczas Baudelaire'owie zorientowali się, w jak wielkim trwali błędzie.

Bez obsiadających je kruków Drzewo Nigdyjuż było ogołocone jak szkielet. Na setkach jego gałęzi nie wyrastał ani jeden listek. Stojąc na jego węźlastych korzeniach i zadzierając głowy, Baudelaire'owie mogli zobaczyć każdy najmniejszy szczegół Drzewa Nigdyjuż – nie mieli więc wątpliwości, że nie warto się wspinać, gdyż na pewno nie znajdą na tym drzewie Duncana i Izadory. Drzewo było ogromne i krzepkie i na pewno przyjemnie byłoby się zagnieździć w jego konarach, ale wołanie „Hop, hop!" pod tym konkretnym drzewem było głosem wołającego na puszczy. Klaus też przemawiał głosem wołającego na puszczy, gdy przekonywał Hektora, że Bagiennych na pewno ukryto na drzewie. Także Wioletka głosem wołającego na puszczy apelowała o ich poszukiwania. A Słoneczko, rzecz jasna, głosem wołającego na puszczy wołało w noc „Hop, hop!". Okazało się, że sieroty Baudelaire przez cały miniony wieczór odzywały się głosami wołającego na puszczy, bo jedyną rzeczą, jaką znalazły rano wśród czarnych piór pogubionych przez kruki, był następny świstek papieru, zwinięty w rulonik.

ROZDZIAŁ
Piąty

Nam milczeć trzeba do świtu jak grób.
Teraz nic wam nie powie ten żałosny dziób.

– Znowu kręci mi się w głowie – oświadczyła Wioletka, odwracając rozwinięty rulonik, żeby również Klaus i Słoneczko mogli przeczytać, co jest na nim napisane. – I mam miękkie kolana, i cała się trzęsę, jakby mnie trafił grom z jasnego nieba. Jakim cudem Izadora zdołała dostarczyć nam tutaj następny wiersz? Przecież przez całą noc na zmianę pilnie obserwowaliśmy drzewo.

– Może ten świstek leżał tu już wczoraj, tylko Hektor go nie zauważył – zasugerował Klaus.

Wioletka pokręciła głową.

– Trudno nie zauważyć białego papierka między czarnymi piórami. Ten zwitek musiał zostać podrzucony w nocy. Tylko jak?

– Mniejsza o to, jak – odparł Klaus. – Ważne, gdzie są Bagienni. Oto jest pytanie, na które chciałbym otrzymać odpowiedź.

– Dlaczego Izadora nie powie nam tego wprost – zastanowiła się Wioletka – tylko podrzuca zagadkowe wierszyki, i to na ziemię, gdzie każdy może je znaleźć?

– Może właśnie dlatego, że każdy może je tu znaleźć – odrzekł z namysłem Klaus. – Gdyby Izadora napisała nam wprost, gdzie się znajduje, i gdyby taki liścik znalazł Hrabia Olaf, na pewno zmieniłby miejsce kryjówki – albo jeszcze gorzej. Nie mam wielkiego doświadczenia w czytaniu poezji, ale założę się, że Izadora zdradza nam w tych kupletach miejsce swojego pobytu. Na pewno jest w nich zaszyfrowana informacja.

– Trudno ją będzie rozszyfrować – oceniła Wioletka, odczytawszy kuplet jeszcze raz. – Widzę tu pełno niejasności. Dlaczego Izadora użyła słowa „dziób"? Przecież ma nos i usta, a nie żaden dziób.

– Kra! – wtrąciło się Słoneczko, komunikując: „Z pewnością miała na myśli dziób kruka".

– Chyba masz rację – przyznała Wioletka. – Ale dlaczego w takim razie Izadora pisze, że ten dziób nic nam nie powie? To jasne, że z dzioba trudno się spodziewać wypowiedzi. Ptaki nie umieją mówić.

– Niektóre umieją – sprostował Klaus. – Czytałem w encyklopedii ornitologicznej, w rozdziale poświęconym papugom i szpakom azjatyckim, że oba te gatunki potrafią naśladować ludzką mowę.

– Ale tu w okolicy nie ma papug ani szpaków azjatyckich – zauważyła Wioletka. – Tu są tylko kruki, a kruki z całą pewnością nie umieją mówić.

– Skoro już mowa o mówieniu – wpadł jej w słowo Klaus – to dlaczego w wierszu podkreśla się, że „Nam milczeć trzeba do świtu"?

– Może dlatego – wyraziła przypuszczenie Wioletka – że oba kuplety, i ten, i poprzedni, pojawiły się o świcie. Może Izadora informuje nas w ten sposób, że tylko z rana może przekazywać nam korespondencję.

– To wszystko nie ma sensu – orzekł Klaus. – Może Hektor pomoże nam zrozumieć, co tu się właściwie dzieje?

– Liper! – przytaknęło skwapliwie Słoneczko, i cała trójka poszła obudzić pana złotą rączkę, który wciąż spał w najlepsze na werandzie. Gdy Wioletka dotknęła jego ramienia, Hektor ocknął się, ziewnął i podniósł głowę. Na twarzy miał głębokie bruzdy i zmarszczki od spania na twardym stole.

– Dzień dobry, dzieci – powiedział i przeciągnął się z sennym uśmiechem. – Mam przynajmniej nadzieję, że dobry. Znaleźliście jakieś ślady Bagiennych?

– Raczej dzień dziwny – odpowiedziała na powitanie Wioletka. – Znaleźliśmy ślad, i owszem. Proszę spojrzeć.

Wręczyła Hektorowi drugi kuplet, a Hektor przeczytał go i zmarszczył brwi.

– Robi się coraz osobliwiej! – mruknął, cytując jedną z ulubionych książek Baudelaire'ów. – To faktycznie niezła łamigłówka.

– Tylko że łamigłówki rozwiązuje się zazwyczaj dla przyjemności – zauważył Klaus – a Duncan i Izadora są w wielkim niebezpieczeństwie. Jeśli nie dowiemy się, co próbują nam zakomunikować te wiersze, Hrabia Olaf na pewno...

– Przestań! – wzdrygnęła się Wioletka. – Absolutnie musimy rozwiązać tę łamigłówkę, i koniec.

Hektor wstał, przeciągnął się jeszcze raz i potoczył wzrokiem po pustym horyzoncie okalającym dom.

– Sądząc po wysokości słońca – powiedział – pora na nas. Nie zdążymy nawet zjeść śniadania.

– Jak to: pora na nas? – zdziwiła się Wioletka.

– A tak to – odparł Hektor. – Zapomnieliście, ile na dzisiaj wyznaczono nam roboty? Sięgnął do kieszeni kombinezonu i wyciągnął karteczkę z długą listą zadań. – Zaczynamy, rzecz jasna, na peryferiach, żeby kruki nie wchodziły nam w paradę. Trzeba przystrzyc żywopłot u pani Jutrzejszej, umyć okna u pana Leski i wypolerować wszystkie klamki u Verhoogenów. Poza tym mamy pozmiatać wszystkie pióra z chodników, powynosić śmieci we wszystkich domach i posegregować surowce wtórne.

– Ależ porwanie Bagiennych jest sto razy ważniejsze niż te wszystkie prace! – oburzyła się Wioletka.

Hektor westchnął.

– Zgadzam się z tobą, ale nie mam zamiaru kłócić się z Radą Starszych. Za wielkiego mam pietra.

– Więc ja bardzo chętnie wyjaśnię Radzie Starszych, o co chodzi – zgłosił się Klaus.

– Nie – uciął krótko Hektor. – Najlepiej już chodźmy i wykonajmy wyznaczoną na dziś pracę. Idźcie się umyć, Baudelaire'owie. Zaraz wychodzimy.

Baudelaire'owie popatrzyli po sobie z niesmakiem, ubolewając nad tym, że pan złota rączka tak panicznie boi się bandy starców w dziobatych kapeluszach, ale nie dyskutowali już więcej z Hektorem, tylko poszli do domu, umyli się i ruszyli za swoim przewodnikiem przez płaskie pustkowie. Doszli na obrzeża WZS, potem minęli centrum, gdzie już zdążyły rozgościć się kruki, a na koniec dotarli na drugi koniec miejscowości, do domu pani Jutrzejszej, która czekała na nich na werandzie, ubrana w różowy szlafrok. Bez słowa wręczyła Hektorowi wielkie nożyce, przeznaczone do cięcia gałęzi, natomiast trojgu Baudelaire'om rozdała po dużej plastikowej torbie, aby zbierali to, co Hektor będzie ucinał. Wręczanie nożyc do żywopłotu i plastikowych toreb nie jest, jak wiemy, typową formą powitania, zwłaszcza rano, ale sieroty Baudelaire były tak zaabsorbowane myślami o kupletach Izadory, że nie spostrzegły nawet nietaktu pani Jutrzejszej. Zbierając pościnane przez Hektora gałęzie, Wioletka, Klaus i Słoneczko oddawali się spekulacjom – zwrot „oddawali się spekulacjom" znaczy tutaj: „rozmawiali cichutko o dwóch kupletach autorstwa

Izadory Bagiennej" – aż wreszcie żywopłot zrobił się ładny i równiutki i pora była udać się na drugi koniec uliczki, gdzie mieszkał pan Lesko. Pan Lesko, którego Baudelaire'owie poznali po kraciastych spodniach (to on w Ratuszu Miejskim martwił się, że będzie musiał przyjąć sieroty do siebie), był jeszcze mniej taktowny od pani Jutrzejszej. Wskazał tylko palcem zestaw przyborów do mycia okien, odwrócił się i zatrzasnął za sobą drzwi. Baudelaire'owie jednak tak byli pochłonięci próbami rozwiązania tajemnicy kupletów, że nawet nie zauważyli nietaktu pana Leski. Wioletka z Klausem szorowali szyby na parterze mokrymi ścierkami, Słoneczko trzymało wiadro ze spienioną wodą, a Hektor wlazł na drabinę i mył okna na piętrze domu, ale dzieci przez cały czas pracy myślały tylko o niejasnych wersetach komunikatów Izadory. Gdy skończyły myć okna, zabrały się z Hektorem do kolejnych prac wyznaczonych na ten dzień, ale co to były za prace, nie będę wam mówił, nie tylko dlatego, że były one tak nudne, iż usnąłbym niechybnie w trak-

cie ich opisywania, ale głównie dlatego, że sieroty Baudelaire nie zwracały w ogóle uwagi na to,
co robią. Polerując klamki u Verhoogenów myślały o wierszach Izadory, myślały o nich także
zmiatając krucze pióra z chodnika na śmietnicz-
kę, którą niosło przed nimi posuwające się na
czworakach Słoneczko – ale chociaż tak myślały
i myślały, wciąż nie mogły wymyślić, jakim sposobem Izadora dostarcza im poezje pod Drzewo
Nigdyjuż. Rozmyślały o kupletach, wynosząc
śmieci i surowce wtórne z domów na peryferiach
WZS, rozmyślały o nich, jedząc kanapki z kapu-
stą, ofiarowane im z łaski przez jednego z restau-
ratorów WZS w ramach zbiorowego wysiłku opieki nad sierotami – a jednak ani rusz nie potrafiły
zrozumieć, co Izadora próbuje im zakomunikować swoimi wierszami. Rozmyślały o tajemni-
czych kupletach, gdy Hektor odczytywał im listę
zajęć popołudniowych, obejmującą tak nudne
zadania jak słanie łóżek obywateli WZS, zmywa-
nie po nich naczyń i pieczenie gorących ciaste-
czek z budyniem w ilości wystarczającej dla całej

Rady Starszych na popołudniową przekąskę, oraz czyszczenie Ptasiej Fontanny – lecz pomimo intensywnego namysłu nie zbliżyły się ani na krok do rozwiązania tajemnicy kupletów Izadory.

– Jestem pod wielkim wrażeniem waszej pilnej pracy – powiedział Hektor, gdy dzieci zabierały się do ostatniego zadania.

Ptasia Fontanna w kształcie olbrzymiego kruka stała na samym środku centralnej dzielnicy, na dziedzińcu, od którego odchodziło wiele uliczek. Sieroty Baudelaire szorowały metalowe ciało kruka, rzeźbione w ptasie pióra, co dodawało mu realizmu. Hektor zaś stał na drabinie i szorował metalową głowę ptaka, z uniesionym prosto w górę dziobem, z którego tryskał nieustannie strumień wody, tak jakby wielki kruk zawzięcie płukał gardło, opluwając się przy tym po całym ciele. Krótko mówiąc, fontanna była ohydna, jednak miejscowe kruki najwyraźniej sądziły inaczej, gdyż metalowy ptak był cały pokryty piórami pogubionymi przez kruki WZS podczas porannego posiedzenia.

– Kiedy Rada Starszych powiadomiła mnie, że całe WZS zostało waszym zbiorowym opiekunem – ciągnął Hektor – obawiałem się, że troje małych dzieci nie podoła tym wszystkim obowiązkom bez marudzenia.

– Jesteśmy przyzwyczajeni do ciężkiej pracy – odparła Wioletka. – W Paltryville okorowywaliśmy pnie drzew i rżnęliśmy je na deski, a w Szkole Powszechnej imienia Prufrocka kazano nam biegać nocami wokół boiska, po sto okrążeń na dobę.

– A poza tym – dodał Klaus – byliśmy tak zaabsorbowani kupletami, że właściwie nie myśleliśmy o tym, co robimy.

– Tak przypuszczałem, że to właśnie jest przyczyną waszego milczenia – powiedział Hektor. – Jak brzmiały te wierszyki? Przypomnijcie mi, z łaski swojej.

Baudelaire'owie tyle razy w ciągu minionego dnia odczytywali kuplety Izadory ze świstków papieru, że mogli teraz oba wyrecytować z pamięci. Najpierw Wioletka:

– *Fałszywiec dla szafirów nas tu niecnie schował.*
Obyście nas zdołali w porę uratować!

A potem Klaus:

– *Nam milczeć trzeba do świtu jak grób.*
Teraz nic wam nie powie ten żałosny dziób.

– Dulci! – podsumowało Słoneczko, komunikując coś w sensie: „Niestety, nadal nie rozumiemy, co to ma znaczyć".

– To rzeczywiście zagadkowe wiersze – przyznał Hektor. – Przyznam szczerze, że ja...

Głos Hektora zamarł nagle, a on sam już nie zwracał się do dzieci, tylko bardzo pilnie czyścił lewe oko metalowego kruka, zupełnie jakby ktoś wciśnięciem guzika wyłączył mu głos.

– Ptasia Fontanna nie jest jeszcze należycie czysta – zabrzmiał surowy ton za plecami dzieci. Baudelaire'owie odwrócili się i ujrzeli trzy panie z Rady Starszych, które nie wiadomo kiedy weszły na dziedziniec i przyglądały im się z marsowymi minami. Hektor dostał takiego pietra, że nie był w stanie nawet podnieść oczu na srogie damy, a co dopiero im odpowiedzieć. Ale sieroty Baudelaire nie dały się tak łatwo zbić z pantałyku, co tutaj znaczy: „zastraszyć przez trzy stare babcie w kruczych kapeluszach".

– To dlatego, że jeszcze nie skończyliśmy pracy – wyjaśniła uprzejmie Wioletka. – Mam nadzieję, że smakowały paniom upieczone przez nas ciasteczka z budyniem.

– Znośne – burknęła jedna z dam, wzruszając ramionami, przy czym kapelusz lekko jej się przekrzywił.

– W moim było za dużo orzechów – poskarżyła się druga. – Prawo numer 961 stanowi wyraźnie, że w gorących ciasteczkach z budyniem przeznaczonych dla Rady Starszych może być najwyżej po piętnaście kawałków orzecha na sztukę, a w moim na pewno było więcej niż piętnaście.

– Przykro mi to słyszeć – powiedział Klaus, nie dodając głośno, że osoba tak wybredna powinna wypiekać sobie ciasteczka sama.

– Brudne pucharki po lodach zostawiliśmy w Budce Przekąskowej – oznajmiła trzecia dama. – Pozmywacie je jutro po południu, w ramach prac na terenie centrum. Ale do rzeczy: mamy coś do powiedzenia Hektorowi, dlatego przyszłyśmy.

Dzieci spojrzały w górę na drabinę, myśląc sobie, że teraz już Hektor będzie musiał odwrócić się do pań i odezwać, choćby miał nie wiem jak wielkiego pietra. On jednak tylko odchrząknął i dalej szorował Ptasią Fontannę. Wioletce przypomniało się, co ojciec kazał jej mówić, kiedy sam nie mógł podejść do telefonu, więc zwróciła się śmiało do wizytatorek:

– Bardzo mi przykro, ale Hektor jest chwilowo zajęty. Czy mogę mu coś przekazać?

Panie z Rady Starszych popatrzyły po sobie i pokiwały głowami, a kapelusze-kruki na ich głowach wyglądały przy tym, jakby się nawzajem dziobały.

– Chyba tak – odezwała się pierwsza dama. – O ile można zaufać takiej małej dziewczynce, że wszystko dobrze powtórzy.

– To wiadomość najwyższej wagi – dodała druga, a ja dodam, że po raz kolejny czuję się w obowiązku użyć wyrażenia „grom z jasnego nieba". Myślicie może, że po tajemniczym pojawieniu się nie jednego, a dwóch kupletów Izadory Bagiennej pod Drzewem Nigdyjuż żaden nowy grom z jasnego nieba nie nawiedzi już miejscowości WZS. W końcu naprawdę rzadko się zdarza, żeby grom uderzył z pogodnego, błękitnego nieba, i to w dodatku dwa razy w to samo miejsce. Ale dla sierot Baudelaire całe życie było serią niefortunnych gromów z jasnego nieba, od momentu gdy pierwszy grom z jasnego nieba ściągnął na nich pan Poe, informując małych Baudelaire'ów, że ich rodzice nie żyją. Ale chociaż wciąż trafiały ich gromy z jasnego nieba, Baudelaire'owie za każdym razem przeżywali ten sam wielki zawrót głowy, tę samą miękkość w kolanach i drżenie na całym ciele. Kiedy więc usłyszeli, co za wiadomość przyniosły delegatki Rady Starszych, ogarnęło ich takie zdumienie, że omal nie usiedli w fontannie. Myśleli już, że nigdy nie usłyszą tej wiadomości, a i do mnie dociera ona tylko w najprzyjemniejszych snach, które miewam bardzo, ale to bardzo rzadko.

– Oto wiadomość – zapowiedziała trzecia dama z Rady Starszych, pochylając się nad dziećmi tak nisko, że Wioletka, Klaus i Słoneczko zobaczyli oddzielnie każde piórko na jej kruczym kapeluszu. – Hrabia Olaf został pojmany.

Słysząc to, sieroty Baudelaire poczuły się tak, jakby grom z jasnego nieba trafił je po raz drugi.

Chociaż „wyciąganie pochopnych wniosków" to tylko takie wyrażenie, a nie praktyczna czynność, potrafi ono być równie niebezpieczne jak każde inne „hop" – na przykład hop z urwiska, hop przez tory przed rozpędzonym pociągiem albo hopsanie z radości. Robiąc hop z urwiska, ryzykujemy bolesne lądowanie, o ile na spodzie urwiska nie znajduje się coś, co może złagodzić nasz upadek, na przykład zbiornik wodny albo wielka kupa papieru toaletowego. Robiąc hop przez tory

przed rozpędzonym pociągiem, ryzykujemy niemiłe zderzenie, o ile naturalnie nie mamy na sobie antypociągowego kombinezonu. A hopsając
z radości, ryzykujemy bolesnego guza na głowie,
o ile nie hopsamy w pomieszczeniu z bardzo wysokim sufitem, co osobom skaczącym z radości
zdarza się niezmiernie rzadko. Jak z tego widać,
zasada dotycząca hopsania jest prosta: należy albo hopsać bezpiecznie, albo wcale.

Niestety, nie uniknie się „hop", wyciągając
pochopne wnioski, gdyż tkwi ono w samym centrum tego wyrażenia. A jest to zarazem „hop",
którego nie da się uczynić bezpiecznie, gdyż
„wyciaganie pochopnych wniosków" oznacza, że
jesteśmy święcie przekonani o czymś, co często
wcale nie jest prawdą. Gdy sieroty Baudelaire
usłyszały od trzech delegatek Rady Starszych
WZS, że Hrabia Olaf został pojmany, były tym
tak przejęte, że natychmiast wyciągnęły pochopny wniosek, iż jest to prawda.

– To prawda – potwierdziła jedna z delegatek
Rady Starszych, co bynajmniej nie posłużyło sy-

tuacji Baudelaire'ów. – Dziś rano pojawił się w mieście mężczyzna z pojedynczą brwią i tatuażem z okiem na kostce nogi.

– To na pewno Olaf – uznała Wioletka, wyciągając pochopny wniosek.

– Oczywiście – rzekła druga delegatka Rady Starszych. – Pasował jak ulał do opisu, który zostawił nam pan Poe, więc aresztowaliśmy go bezzwłocznie.

– A więc to prawda – stwierdził Klaus, hopsając ze swoim wnioskiem w ślad za siostrą. – Hrabia Olaf naprawdę został pojmany.

– Oczywiście, że to prawda – fuknęła niecierpliwie trzecia delegatka Rady Starszych. – Skontaktowaliśmy się już nawet z „Dziennikiem Punctilio", napiszą o tym artykuł. Niebawem cały świat dowie się, że nareszcie ujęto Hrabiego Olafa.

– Hura! – pisnęło Słoneczko, jako ostatnie z Baudelaire'ów wyciągając pochopny wniosek.

– Rada Starszych zwołała z tej okazji specjalne zebranie – rzekła dama, która wyglądała na najstarszą ze Starszych. Kapelusz-kruk na jej głowie zadrżał z przejęcia. – Wszyscy obywatele WZS mają się bezzwłocznie stawić w Ratuszu Miejskim, celem ustalenia, co zrobić z przestępcą. Pamiętajmy, że Prawo numer 19833 stanowi wyraźnie, iż żadnemu przestępcy nie wolno przebywać w naszej miejscowości. Zwyczajową karą za naruszenie tego prawa jest spalenie na stosie.

– Spalenie na stosie? – powtórzyła z niedowierzaniem Wioletka.

– Oczywiście – potwierdziła Starsza. – Schwytanego przestępcę przywiązujemy do drewnianego pala i podpalamy ogień. Dlatego wolałam ostrzec was przed naruszaniem prawa o dozwolonej liczbie orzechów w ciasteczkach. Szkoda by było spalić was na stosie.

– Czy to znaczy, że kara jest zawsze taka sama, bez względu na to, który przepis został złamany? – spytał Klaus.

– Oczywiście – odparła Starsza. – Prawo numer 2 stanowi wyraźnie, że każdy, kto dopuścił się naruszenia przepisów, zostanie spalony na stosie. Gdybyśmy nie palili przestępców na sto-

sie, sami zostalibyśmy przestępcami, a wówczas
nas ktoś musiałby spalić na stosie. Czy to jasne?

— Mniej więcej — mruknęła Wioletka, chociaż,
szczerze mówiąc, wcale nie było to dla niej jasne.
Tak jak i dla pozostałej dwójki Baudelaire'ów.
Nie cierpieli, to fakt, Hrabiego Olafa, ale jeszcze
bardziej nie podobał im się pomysł spalenia go
na stosie. Palenie zbrodniarza na stosie było ich
zdaniem czynem godnym zbrodniarza, a nie mi-
łośników ptactwa.

— Jednak Hrabia Olaf nie jest zwykłym przestępcą — rzekł Klaus, starannie dobierając słowa. —
Dopuścił się szeregu najstraszniejszych zbrodni.
Należałoby go raczej przekazać władzom wyż-
szym, niż palić na stosie.

— O tym możemy podyskutować na zebraniu —
ucięła przedstawicielka Rady Starszych. — I ra-
dzę się pospieszyć, bo jest już późno. Hektorze,
złaź z drabiny.

Hektor nic nie powiedział, ale potulnie zlazł
z drabiny i ze spuszczonymi oczami pospieszył za
delegatkami Rady Starszych, porzucając Ptasią

Fontannę. Sieroty Baudelaire podążyły zaś za Hektorem, czując coraz silniejsze łaskotanie w żołądkach, w miarę jak wszyscy razem zbliżali się do okolic Ratusza, gdzie kruki urzędowały dokładnie tak jak w przeddzień, czyli w dniu przybycia Baudelaire'ów do WZS. Łaskotało ich w żołądkach z emocji i wielkiej ulgi, gdyż uwierzyli, że Hrabia Olaf istotnie został ujęty – ale również ze zdenerwowania i lęku, gdyż bardzo nie podobał im się pomysł spalenia Olafa na stosie. Kara, jaką wymierzano przestępcom w WZS, za bardzo przypominała sierotom Baudelaire okoliczności śmierci ich rodziców, dlatego byli przeciwni paleniu kogokolwiek, nawet najgorszego zbrodniarza. Nie było miło czuć zarazem ulgę, emocję, zdenerwowanie i lęk, toteż zanim całe towarzystwo doszło do Ratusza Miejskiego, żołądki Baudelaire'ów trzepotały jak kruki, których mruczanda i szurania słychać było wszędzie, jak uchem sięgnąć.

Gdy człowiekowi tak trzepocze w żołądku, najlepiej jest położyć się na chwilę i wypić łyk napoju gazowanego, ale ani na jedno, ani na drugie nie było już czasu. Trzy członkinie Rady Starszych kierowały się właśnie do wielkiej sali Ratusza Miejskiego, udekorowanej portretami kruków. W sali panował nieopisany harmider, co tu oznacza: „Starsi i obywatele WZS cisnęli się w strasznym tłoku i zajadle dyskutowali". Baudelaire'owie rozglądali się za Olafem, ale nie sposób było kogokolwiek zobaczyć, gdyż wszystko zasłaniały majtające się na wszystkie strony kapelusze w kształcie kruków.

– Zaczynamy zebranie! – krzyknął ktoś z Rady Starszych. – Członków Rady Starszych uprasza się o zajęcie miejsc na ławie prezydialnej. Obywatele zechcą usiąść na składanych krzesłach.

Obywatele WZS natychmiast przestali gadać i pospieszyli na miejsca, obawiając się zapewne, że w przeciwnym razie mogliby sami zostać spaleni na stosie. Wioletka z Klausem usiedli obok Hektora, który wciąż miał wzrok wbity w podłogę, i wzięli Słoneczko na kolana, aby i ono mogło śledzić obrady.

– Hektorze, proszę wprowadzić Oficer Lucjanę i Hrabiego Olafa na platformę dyskusji – zarządziła Radna Starsza, gdy ostatni z zebranych wreszcie zajęli miejsca.

– Nie ma takiej potrzeby! – zagrzmiał potężny głos z końca sali. Odwróciwszy się, dzieci ujrzały Oficer Lucjanę w hełmie ze spuszczoną przyłbicą, pod którą czerwienił się wściekle jej szeroki uśmiech. – Umiem sama wejść na platformę. Jestem, bądź co bądź, Szefową Policji.

– To fakt – przyznała Starsza, a kilkoro innych członków Rady przytaknęło jej kruczymi kapeluszami. Oficer Lucjana szła już zresztą ku platformie dyskusji, tupiąc dźwięcznie po lśniącej posadzce swoimi podkutymi czarnymi oficerkami.

– Pragnę z dumą oświadczyć – oświadczyła z dumą Oficer Lucjana – że jako nowy Szef Policji już zdążyłam dokonać pierwszego aresztowania. Czy to nie zdumiewające?

– Brawo, brawo! – zakrzyknęło parę osób z widowni.

– A teraz – ciągnęła Lucjana – przyjrzyjmy się osobnikowi, którego niebawem z największą rozkoszą spalimy na stosie. Oto Hrabia Olaf!

Oficer Lucjana majestatycznie zstąpiła z platformy, wróciła z donośnym tupotem na koniec sali i wyciągnęła z kąta przerażonego człowieczka, który kulił się dotąd na składanym krześle. Ubrany był w wymięty garnitur, rozdarty na ramieniu, i błyszczące srebrne kajdanki. Nie miał butów ani skarpet, więc gdy Oficer Lucjana prowadziła go na platformę dyskusji, sieroty Baudelaire od razu dostrzegły na kostce jego lewej nogi tatuaż z okiem, taki sam, jaki nosił Hrabia Olaf. A gdy osobnik ten obejrzał się na widownię, dzieci spostrzegły, że ma on pojedynczą brew zamiast dwóch, dokładnie tak jak Hrabia Olaf. A mimo to nie ulegało wątpliwości, iż nie jest to Hrabia Olaf. Oskarżony był niższy od Hrabiego Olafa, i tęższy, i nie miał ani brudnych paznokci, ani chciwego błysku w oczach. Przede wszystkim jednak Baudelaire'owie zorientowali się, że nie jest to Hrabia Olaf, tak samo jak każdy z was zorientuje się łatwo, że obcy facet nie jest waszym wujkiem, chociaż nosi identyczną jak wasz wujek marynarkę w groszki i kudłatą perukę. Wioletka, Klaus i Słoneczko popatrzyli po sobie, a potem spojrzeli na nieszczęśnika wleczonego ku platformie dyskusji, i z przykrym rozczarowaniem zrozumieli, że wyciągnęli nazbyt pochopne wnioski w związku z rzekomym pojmaniem Olafa.

– Panie i panowie – zagrzmiała Oficer Lucjana – a także wy, sieroty! Oddaję wam Hrabiego Olafa!

– Ja nie jestem Hrabią Olafem! – krzyknął oskarżony. – Nazywam się Jacques i...

– Cisza! – rozkazał jeden z najgroźniej wyglądających członków Rady Starszych. – Prawo numer 920 stanowi wyraźnie, że na platformie dyskusji nie wolno się odzywać!

– Spalić go na stosie! – krzyknął ktoś z sali, a dzieci, odwróciwszy się, ujrzały pana Lesko, który palcem wskazywał drżącego osobnika na platformie. – Już od dawna nie spaliliśmy nikogo na stosie!

Kilku członków Rady Starszych kiwnęło zgodnie głowami.

– Słuszna uwaga – zauważył jeden z nich.

– To Olaf, bez dwóch zdań! – zawołała z głębi widowni pani Jutrzejsza. – Ma pojedynczą brew zamiast dwóch i tatuaż z okiem na kostce nogi.

– Dużo ludzi ma zrośnięte brwi – zaprotestował Jacques. – A ten tatuaż noszę ze względu na mój zawód.

– A twój zawód, łotrze, to działalność przestępcza! – dorzucił triumfalnie pan Lesko. – Prawo numer 19833 stanowi wyraźnie, że przestępcom nie wolno przekraczać granic naszej miejscowości, i dlatego spalimy cię na stosie!

– Brawo, brawo! – zabrzmiał chór głosów.

– Nie jestem przestępcą! – bronił się rozpaczliwie Jacques. – Pracuję jako wolontariusz...

– Dość! – przerwała mu jedna z najmłodszych Radnych Starszych. – Zostałeś już ostrzeżony, Olafie, w związku z prawem numer 920. Nie wolno ci się odzywać, dopóki stoisz na platformie dyskusji. Czy ktoś z obywateli zechciałby zabrać głos, zanim przejdziemy do omówienia szczegółów spalenia Olafa na stosie?

Wioletka wstała z miejsca – a nie jest to łatwe dla kogoś, komu kręci się w głowie, komu miękną kolana i kto odczuwa wewnątrz ogólny mętlik.

– Ja chcę zabrać głos – powiedziała. – Miejscowość WZS została moim opiekunem, więc jestem teraz jej obywatelką.

Klaus, który trzymał na rękach Słoneczko, podniósł się również i stanął ramię w ramię z siostrą.

– Ten człowiek – rzekł, wskazując Jacques'a – nie jest Hrabią Olafem. Oficer Lucjana pomyliła się aresztując go, a my nie chcemy pogarszać sprawy, godząc się na spalenie niewinnego człowieka na stosie.

Jacques uśmiechnął się do dzieci z wdzięcznością, ale Oficer Lucjana zrobiła w tył zwrot i z tupiąc głośno podeszła do Baudelaire'ów. Dzieci nie widziały jej oczu, gdyż zasłaniał je hełm, ale widziały wściekle czerwone usta, wykrzywione złośliwym uśmiechem.

– I w ten sposób właśnie pogarszacie sprawę – syknęła do nich Oficer Lucjana, po czym zwróciła się ku Radzie Starszych. – Szok nagłego ujrzenia Hrabiego Olafa najwyraźniej pomieszał dzieciom w głowach.

– Najwyraźniej! – zgodził się jeden ze Starszych. – W imieniu miejscowości będącej ich legalnym opiekunem stwierdzam, że dzieci powinny natychmiast pójść do łóżka. Wracajmy do dyskusji. Czy ktoś z dorosłych pragnie zabrać głos?

Baudelaire'owie zerknęli na Hektora z nadzieją, że opanuje zdenerwowanie i przemówi w ich sprawie. Nie wierzył chyba, że Baudelaire'owie mogli do tego stopnia stracić głowę, że nie poznali Hrabiego Olafa. Hektor nie stanął jednak na wysokości zadania, co tu oznacza: „siedział dalej na składanym krześle ze wzrokiem wbitym w ziemię". Po chwili Rada Starszych zamknęła dyskusję.

– Niniejszym zamykam dyskusję – oświadczył Radny Starszy. – Hektorze, proszę odprowadzić Baudelaire'ów do domu.

– Tak jest! – krzyknął ktoś z rodziny Verhoogenów. – Dzieciaki do łóżka, a Olafa na stos!

– Brawo, brawo! – zawołał cienki chórek.

Jeden z członków Rady Starszych pokręcił
jednak na to głową.

– Dzisiaj jest już za późno na palenie przestępców na stosie – rzekł, wywołując na sali falę rozcza-
rowanych pomruków. – Spalimy Hrabiego Olafa
jutro, zaraz po śniadaniu. Mieszkańcy centrum
niech przyniosą płonące pochodnie, a mieszkańcy
peryferii – drewno na opał i coś pożywnego na
przekąskę. Do zobaczenia wszystkim jutro z rana.

– A do tego czasu – obwieściła Oficer Lucjana –
skazaniec pozostanie w więzieniu centralnym naprzeciwko Ptasiej Fontanny.

– Jestem niewinny! – krzyknął nieszczęśnik
z platformy. – Wysłuchajcie mnie, błagam! Nie
jestem Hrabią Olafem! Nazywam się Jacques! –
To rzekłszy zwrócił się ku Baudelaire'om, którzy
dojrzeli łzy w jego oczach. – O, Baudelaire'owie!
– zawołał. – Jakże jestem szczęśliwy, że widzę
was żywych. Wasi rodzice...

– Dość tego gadania! – Oficer Lucjana zatkała mu brutalnie usta ręką w białej rękawiczce.

– Pipit! – pisnęło Słoneczko, co miało znaczyć: „Chwileczkę!", ale Oficer Lucjana albo tego nie usłyszała, albo nie chciała słuchać, bo szybko wywlokła Jacques'a z sali, zatrzaskując drzwi, zanim ktokolwiek zdołał jeszcze coś powiedzieć.

Obywatele powstawali z miejsc, żeby lepiej widzieć moment wyprowadzania złoczyńcy, a potem, czekając, aż ława Rady Starszych opustoszeje, komentowali całe zdarzenie między sobą. Baudelaire'owie zobaczyli, że pan Lesko dowcipkuje z rodziną Verhoogenów, jakby znajdowali się na pikniku, a nie w sali sądowej, gdzie przed chwilą skazano na śmierć niewinnego człowieka.

– Pipit! – pisnęło powtórnie Słoneczko, ale nikt go nie słuchał. Hektor, nie odrywając wzroku od podłogi, ujął za ręce Wioletkę i Klausa, po czym wyprowadził ich z Ratusza. Pan złota rączka milczał jak zaklęty, a dzieciom też nie chciało się już gadać. Było im niedobrze i bardzo ciężko na sercu. A gdy wychodząc z Ratusza raz jeszcze miały okazję rzucić okiem na Jacques'a i Oficer Lucjanę, poczuły się jeszcze gorzej niż wtedy, gdy pojęły, że wyciągnęły z rewelacji Rady Starszych zbyt pochopne wnioski. Poczuły się tak, jakby nieopatrznie zrobiły hop! z urwiska, lub hop! przez tory przed pędzącym pociągiem. Wychodząc z Ratusza Miejskiego w bezwietrzną, chłodną noc, sieroty Baudelaire czuły się tak, jakby już nigdy w życiu nie miały hopsać z radości.

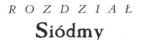

Na naszym wielkim i drapieżnym świecie jest wiele, bardzo wiele, nieprzyjemnych miejsc. Można znaleźć się w rzece pełnej rozwścieczonych elektrycznych węgorzy albo w supermarkecie pełnym złośliwych długodystansowców. Można trafić do hotelu bez obsługi albo zgubić się w puszczy, którą stopniowo zalewa wielka woda. Można się znaleźć w gnieździe szerszeni albo na opuszczonym lotnisku, albo w gabinecie lekarza-pediatry, ale nie ma na świecie nic gorszego niż znaleźć się w potrzasku – a właśnie tam znalazły się sieroty Baudelaire owej nocy. Znaleźć się w potrzasku to znaczy widzieć wszędzie wokół straszny mętlik i zagrożenie i nie mieć pojęcia, jak się z tego wykaraskać. Jest to jedna z najmniej przyjemnych życiowych sytuacji. Sieroty Baudelaire siedziały w kuchni u Hektora, który szykował właśnie nowe meksykańskie danie, i czuły się uwięzione w takim potrzasku, że wszystkie dotychczasowe problemy wydały im się nagle drobną kaszką, drobniutką jak kaszka kuskus, którą Hektor właśnie zalewał wodą.

– Co za mętlik – zauważyła ponuro Wioletka. – Trojaczki Bagienne są gdzieś w pobliżu, ale nie wiemy gdzie, a jedyną naszą wskazówką są dwa zagadkowe wierszyki. A do tego teraz mężczyzna, który nie jest Hrabią Olafem, ale nosi na nodze tatuaż z okiem, chciał powiedzieć nam coś o rodzicach.

– Mętlik to mało powiedziane – sprostował Klaus. – To wielkie zagrożenie. Musimy uwolnić Bagiennych, zanim Hrabia Olaf zrobi z nimi coś strasznego, a po drugie, musimy przekonać Radę Starszych, że skazaniec to naprawdę Jacques, bo inaczej spalą go na stosie.

– Poczask? – zagadnęło Słoneczko, komunikując coś w sensie: „I co my możemy w tej sytuacji zrobić?".

– Nie wiem, co możemy zrobić, Słoneczko – odparła Wioletka. – Od rana próbujemy rozszyfrować wiersze Izadory – i nic z tego, a w Ratuszu próbowaliśmy przekonać Radę Starszych, że Oficer Lucjana popełniła błąd – i też nic z tego.

Wszyscy troje spojrzeli na Hektora, który nie kiwnął nawet palcem, aby przekonać o pomyłce Radę Starszych, tylko siedział bez słowa na swoim składanym krześle.

Hektor westchnął i spojrzał na dzieci z nieszczęśliwą miną.

– Wiem, że powinienem był zabrać głos – powiedział – ale miałem strasznego pietra. Rada Starszych tak mnie onieśmiela, że w jej obecności zapominam języka w gębie. Ale teraz przyszedł mi do głowy pewien pomysł.

– Jaki, jaki? – spytał niecierpliwie Klaus.

– Możemy zjeść pyszną kolacyjkę – odparł Hektor. – Zapraszam na huevos rancheros: smażone jajka z fasolą, do tego tortille i ziemniaczki z ostrym sosem pomidorowym.

Baudelaire'owie popatrzyli po sobie, nie rozumiejąc, jakim cudem meksykańskie danie miałoby wybawić ich z potrzasku.

– I to ma nam pomóc? Niby jak? – spytała z powątpiewaniem Wioletka.

– Nie wiem – przyznał Hektor. – Ale kolacja jest prawie gotowa, a przepis, zapewniam was, wyśmienity, chociaż może nie powinienem się chwalić. Siadajmy do stołu. Może po dobrym posiłku łatwiej wam będzie coś wymyślić.

Dzieci westchnęły, ale pokiwały zgodnie głowami i zaczęły nakrywać do stołu. O dziwo, dobry obiad rzeczywiście pomógł im jaśniej myśleć. Ledwie Wioletka skosztowała fasoli, poczuła, jak trybiki i dźwignie jej umysłu ruszają dziarsko do akcji. Ledwie Klaus zanurzył tortillę w ostrym pomidorowym sosie, przypomniały mu się dawno przeczytane książki, które teraz mogły okazać się pomocne. Ledwie Słoneczko rozsmarowało sobie po całej buzi żółtko jajka, zakłapało dźwięcznie wszystkimi czterema ostrymi ząbkami i pomyślało, że mogą się one na coś przydać. Zanim skończyli jeść przygotowany przez Hektora posiłek, wstępne pomysły skrystalizowały im się w dojrzałe plany, tak jak niegdyś, dawno temu, Drzewo Nigdyjuż wyrosło w górę z małego nasionka, albo ostatnio Ptasia Fontanna wybudowana została na podstawie wstrętnego projektu.

Pierwsze zabrało głos Słoneczko.

– Plan! – oznajmiło.

– Jaki plan, Słoneczko? – spytał Klaus.

Drobnym paluszkiem usmarowanym pomidorowym sosem Słoneczko wskazało na Drzewo Nigdyjuż, które, jak co wieczór, obsiadły już gęsto kruki z WZS.

– Merganser! – odparło stanowczo Słoneczko.

– Moja siostra chciała powiedzieć, że jutro rano na pewno znajdziemy nowy wiersz od Izadory, w tym samym miejscu gdzie zawsze – wyjaśnił

Hektorowi Klaus. – Dlatego postanowiła spędzić noc pod drzewem. Jest taka mała, że ten, kto podrzuca wiersze, na pewno jej nie zawuaży, i tym sposobem Słoneczko dowie się, w jaki sposób trafiają do nas te kuplety.

– A to z kolei naprowadzi nas na ślad Bagiennych – dodała Wioletka. – Bardzo dobry plan, Słoneczko.

– Mój Boże, Słoneczko! – zdumiał się Hektor. – Nie boisz się przesiedzieć całą noc pod drzewem z gigantycznym stadem kruków?

– Trala – zapewniło go Słoneczko, komunikując: „Na pewno nie jest to straszniejsze od wspinania się na zębach szybem windy".

– Zdaje mi się, że i ja wymyśliłem dobry plan – powiedział Klaus. – Hektorze, mówiłeś nam wczoraj o sekretnej bibliotece, którą urządziłeś w stodole.

– Cśśś! – Hektor lękliwie rozejrzał się po kuchni. – Nie tak głośno! Wiecie, że przechowywanie książek jest niezgodne z prawem. Ja nie chcę spłonąć na stosie.

– A ja nie chcę, aby ktokolwiek spłonął na stosie – zapewnił go Klaus. – Czy w twojej bibliotece znajdzie się kodeks prawny WZS?

– Jak najbardziej – odparł Hektor. – Niejeden. Ponieważ kodeks prawny opisuje łamanie przepisów, łamie on tym samym prawo numer 108, które wyraźnie stanowi, że w żadnej bibliotece WZS nie mogą znajdować się książki łamiące którykolwiek z przepisów.

– W takim razie przeczytam ich, ile się da – powiedział Klaus. – Musi istnieć sposób na uratowanie Jacques'a przed spaleniem na stosie. Jestem przekonany, że znajdę na to jakiś paragraf.

– Zadziwiasz mnie, Klausie – rzekł Hektor. – Nie znudzisz się lekturą tylu ksiąg prawniczych?

– Na pewno nie bardziej niż gramatyką, którą musiałem studiować w celu uratowania ciotki Józefiny – odparł Klaus.

– Słoneczko działa na rzecz ratowania Bagiennych, Klaus działa na rzecz ratowania Jacques'a, więc ja muszę działać na rzecz ratowania nas samych – odezwała się Wioletka.

– To znaczy? – nie zrozumiał Klaus.

– Mam wrażenie, że za wszystkimi tymi kłopotami stoi Hrabia Olaf – stwierdziła Wioletka.

– Grip! – powiedziało Słoneczko, komunikując: „Jak zwykle!".

– Jeśli obywatele WZS spalą Jacques'a na stosie – ciągnęła Wioletka – wówczas cały świat uwierzy, że to Hrabia Olaf nie żyje. Założę się, że „Dziennik Punctilio" opublikuje wielki artykuł na ten temat. I będzie to świetna wiadomość dla Olafa – tego prawdziwego, oczywiście. Skoro wszyscy uwierzą, że on nie żyje, Olaf będzie mógł sobie pozwalać na najgorsze zbrodnie, a władze i tak nie zaczną go z powrotem szukać.

– No tak – przyznał Klaus. – Hrabia Olaf na pewno sam znalazł Jacques'a, kimkolwiek jest ten cały Jacques, i ściągnął go do WZS. Wiedział, że Oficer Lucjana pomyśli, że Jacques to Olaf. Tylko co to, Wioletko, ma wspólnego z ratowaniem nas trojga?

– To – odparła Wioletka – że jeśli uratujemy Bagiennych i udowodnimy niewinność Jacques'a,

Hrabia Olaf na pewno nas dopadnie, a sami widzicie, że na obronę ze strony Rady Starszych liczyć nie możemy.

– Poe! – zasugerowało Słoneczko.

– Ani na obronę ze strony pana Poe – przyznała Wioletka. – Dlatego musimy sami się ratować.

To rzekłszy, zwróciła się do Hektora:

– Również wczoraj opowiadałeś nam o swoim samowystarczalnym balonowym domu.

Hektor ponownie rozejrzał się po kuchni, sprawdzając, czy nikt nie podsłuchuje.

– Tak – szepnął – ale chyba przerwę prace nad nim. Kiedy się Rada Starszych zorientuje, że łamię prawo numer 67, jak nic spłonę na stosie. Zresztą i tak nie umiem uruchomić silnika.

– Chętnie rzucę na niego okiem, jeśli nie masz nic przeciwko temu – zaoferowała się Wioletka. – Może wpadnie mi do głowy jakieś rozwiązanie. Co prawda konstruowałeś swój samowystarczalny balonowy dom, aby uciec do niego przed WZS, Radą Starszych i wszystkim, co napędza ci pietra, ale taki dom mógłby też stać się fantastycznym pojazdem do ucieczki.

– Myślę, że mógłby pełnić obie te funkcje naraz – bąknął nieśmiało Hektor i sięgnął przez stół, aby pogłaskać Słoneczko po pleckach. – Bardzo się cieszę waszym towarzystwem, drogie dzieci, i byłbym zachwycony, mogąc dzielić z wami dom. W moim balonowym domu jest pełno miejsca, a gdybyśmy go raz wreszcie uruchomili, moglibyśmy już nigdy nie wracać na ziemię. Hrabia Olaf i jego poplecznicy przestaliby was nękać raz na zawsze. Co wy na to?

Trójka Baudelaire'ów wysłuchała z uwagą propozycji Hektora, lecz gdy mu spróbowali odpowiedzieć, stwierdzili nagle, że znów znajdują się w potrzasku trudnej decyzji. Z jednej strony, życie w tak osobliwych warunkach wydało im się niezwykle ekscytujące, a myśl o uwolnieniu się raz na zawsze od Hrabiego Olafa była co najmniej pociągająca. Wioletka spojrzała na swoją malutką siostrzyczkę i przypomniała sobie obietnicę złożoną rodzicom w dniu narodzin Słoneczka: że będzie zawsze uważała na młodsze rodzeństwo i pilnowała, aby Klausowi i Słoneczku nie stało się nic złego. Klaus spojrzał na Hektora – jedynego obywatela wrednej wioski, który chyba naprawdę troszczył się o sieroty, jak przystało na porządnego opiekuna. A Słoneczko spojrzało w okno na wieczorne niebo i przypomniało sobie, jak pierwszy raz obserwowało wraz z rodzeństwem wspaniały przelot kruków WZS, marząc, aby jak one wznieść się w niebo ponad wszystkie kłopoty. Lecz z drugiej strony, Baudelaire'owie mieli wrażenie, że wzlecieć raz na zawsze ponad wszelkie przykrości i do końca życia bujać wysoko w niebie, to nie jest dla człowieka właściwy sposób życia. Słoneczko było jeszcze malutkie, Klaus miał zaledwie dwanaście lat, a Wioletka, najstarsza z rodzeństwa – tylko czternaście, więc do starości było im daleko. Baudelaire'owie mieli wiele planów dotyczących życia na ziemi i nie uśmiechało im się rezygnować z tych planów na tak wczesnym etapie żywota. Siedzieli więc przy stole w kuchni, rozważali plan Hektora i pomału utwierdzali się w przekonaniu, że gdyby mieli przez resztę życia bujać w przestworzach, czuliby się nie w swoim żywiole, co tu oznacza: „nie w takim domu, o jakim marzyli".

– Nie wybiegajmy zbyt daleko w przyszłość – odrzekła dyplomatycznie Wioletka, mając nadzieję, że nie sprawia Hektorowi przykrości. – Zanim podejmiemy decyzję co do reszty naszego życia, wyrwijmy najpierw Duncana i Izadorę ze szponów Olafa.

– I uchrońmy Jacques'a przed spaleniem na stosie – dodał Klaus.

– Albiko! – dorzuciło Słoneczko, komunikując coś w sensie: „I rozszyfrujmy tajemniczy skrót WZS, o którym powiadomili nas Bagienni".

Hektor westchnął ze smutkiem.

– Macie rację – przyznał. – To teraz najważniejsze sprawy, chociaż na myśl o nich dostaję pietra. A więc do dzieła. Odprowadźmy Słoneczko pod drzewo i chodźmy do stodoły, gdzie mieści się biblioteka i warsztat. Zanosi się na następną długą noc, ale miejmy nadzieję, że tym razem nasze starania nie pójdą na marne.

Sieroty Baudelaire uśmiechnęły się do pana złotej rączki i podążyły za nim w ciemną noc, chłodną, wietrzną i pełną szmerów moszczących się na drzewie kruków. Rozstali się też z uśmiechem: Słoneczko poczołgało się na czworakach pod Drzewo Nigdyjuż, a dwoje starszych Baudelaire'ów poszło dalej za Hektorem do stodoły. Tam, uśmiechnięci, przystąpili do realizacji swoich planów. Wioletka uśmiechała się, bo warsztat Hektora był wzorowo wyposażony w obcęgi, kleje, druty i wszelkie inne akcesoria, których domagał się jej wynalazczy umysł, a samowystarczalny balonowy dom Hektora okazał się olbrzymim, imponującym i skomplikowanym mechanizmem – takim właśnie, nad jakimi uwielbiała pracować. Klaus uśmiechał się, bo biblioteka Hektora była wygodna, stało w niej kilka solidnych stołów i wyściełanych foteli, idealnych do czytania, a książki o przepisach prawnych WZS okazały się grube i pełne trudnych słów – właśnie takie, jakie Klaus najbardziej lubił. A Słoneczko uśmiechało się, bo z Drzewa Nigdyjuż spadło kilka uschniętych gałęzi, które świetnie nadawały się do gryzienia w ukryciu podczas całonocnego oczekiwania na kolejny kuplet Izadory. Sieroty Baudelaire były w swoim żywiole. Wioletka była w swoim żywiole w warsztacie, Klaus był w swoim żywiole w bibliotece, a Słoneczko było w swoim żywiole nisko na ziemi, w pobliżu czegoś, co nadaje się do gryzienia. Wioletka związała włosy wstążką, żeby nie wpadały jej do oczu, Klaus przetarł okulary, a Słoneczko kilkakrotnie kłapnęło zębami, szykując się na czekające je zadanie. Wszyscy troje uśmiechali się jak jeszcze nigdy od chwili przybycia do WZS. Wszyscy troje byli w swoim żywiole i mieli nadzieję, że ich trzy połączone żywioły pozwolą im wydostać się z potrzasku.

Następny dzień rozpoczął się barwnym i majestatycznym wschodem słońca, który Słoneczko obserwowało ze swej kryjówki u stóp Drzewa Nigdyjuż. Potem rozległy się odgłosy rozbudzonych kruków, które dobiegły Klausa w bibliotece w stodole, a następnie ptaki jęły formować swój codzienny krąg na niebie, który Wioletka ujrzała opuszczając warsztat. Zanim Klaus dołączył do siostry przed stodołą, a Słoneczko dotarło do nich na czworakach przez płaski teren dziedzińca, ptaki przestały kołować i skierowały swój lot ku centrum WZS. Ranek był tak przepiękny i spokojny, że opisując go zapominam niemal, iż był to dla mnie początek bardzo, ale

to bardzo smutnego dnia – dnia, który najchętniej wykreśliłbym z kalendarza Lemony Snicketa. Lecz nie mogę, niestety, wykreślić tego dnia
ze swego kalendarza, tak samo jak nie mogę napisać szczęśliwego zakończenia tej opowieści –
a powód tego jest prosty: historia nasza zdąża
w całkiem odmiennym kierunku. Chociaż pora-
nek był śliczny jak rzadko, a Baudelaire'owie byli jak rzadko pewni tego, co udało im się odkryć
minionej nocy, na horyzoncie naszej opowieści
nie rysuje się wcale szczęśliwe zakończenie – tak
jak na horyzoncie WZS nie rysowała się owego
dnia sylwetka słonia.

– Dzień dobry – powitała Wioletka swego brata i ziewnęła.

– Dzień dobry – odpowiedział Klaus. Trzymał
pod pachą dwa opasłe tomy, ale mimo to zdołał
pomachać Słoneczku, które wciąż jeszcze czoł-
gało się w ich stronę na czworakach. – Jak wam
poszło z Hektorem w warsztacie?

– Nieźle – odparła Wioletka. – Hektor, co
prawda, zasnął parę godzin temu, ale mnie uda-

ło się odkryć kilka drobnych usterek w konstrukcji samowystarczalnego balonowego domu. W silniku było za słabe przewodzenie prądu z powodu wady generatora elektromagnetycznego, który Hektor sam zbudował. To zaś powodowało, że proces regulacji powietrza w balonie przebiegał nieregularnie. Naprawiłam więc kilka głównych przewodów. Po drugie, rury obiegu wody okazały się nieszczelne, w związku z czym samowystarczalny magazyn żywności nie działałby zapewne tak długo, jak Hektor planował, ale udało mi się uszczelnić system.

– Ning! – zawołało Słoneczko, które właśnie dobrnęło do rodzeństwa.

– Dzień dobry, Słoneczko – rzekł Klaus. – Wioletka opowiadała mi właśnie o usterkach, które odkryła w konstrukcji Hektora. Twierdzi, że wszystkie usunęła.

– Wolałabym, oczywiście, sprawdzić działanie urządzenia, zanim wystartujemy, o ile znajdzie się na to dość czasu – dodała ostrożnie Wioletka, biorąc Słoneczko na ręce. – Mam jednak wrażenie, że wszystko powinno funkcjonować prawidłowo. To fantastyczny wynalazek. Niewielka grupa ludzi może dzięki niemu rzeczywiście spędzić bezpiecznie resztę życia w powietrzu. A ty, Klausie, znalazłeś coś ciekawego w bibliotece?

– Przede wszystkim odkryłem, że tutejsze dzieła prawnicze są doprawdy fascynujące – odparł Klaus. – Na przykład prawo numer 19 stanowi, że w obrębie miejscowości WZS dopuszcza się pióra do pisania wykonane wyłącznie z kruczych piór. Zarazem jednak prawo numer 39 stanowi, że wyrabianie czegokolwiek z kruczych piór jest nielegalne. Jak więc obywatele mają przestrzegać obu tych praw naraz?

– Może w ogóle nie używają piór do pisania – zasugerowała Wioletka. – Zresztą, to nieważne. Powiedz lepiej, czy odkryłeś w tych księgach jakiś pomocny dla nas przepis?

– Owszem – powiedział Klaus i otworzył jedną z ksiąg wyniesionych pod pachą. – Posłuchajcie tego: prawo numer 2493 stanowi, że każda osoba skazana na stos ma prawo zabrać głos tuż przed podpaleniem stosu. Możemy zaraz udać się do więzienia i dopilnować, aby Jacques'owi pozwolono skorzystać z tego prawa. Będzie miał wówczas okazję powiedzieć ludziom, kim naprawdę jest i dlaczego nosi tatuaż.

– Przecież próbował to zrobić już wczoraj na zebraniu – przypomniała Wioletka. – I nikt mu nie uwierzył. Nikt go nawet nie słuchał.

– Wiem – przyznał Klaus, otwierając drugi tom – ale potem przeczytałem coś w tej księdze.

– Towi? – zaciekawiło się Słoneczko, komunikując coś w sensie: „Czyżby istniało prawo, które stanowi, że ludzie mają obowiązek słuchać przemówień?".

– Nie, nie – odparł Klaus. – To akurat nie jest księga prawnicza. To podręcznik psychologii, nauki o działaniu ludzkiego umysłu. Usunięto go z biblioteki miejskiej, gdyż zawiera rozdział o Irokezach, Indianach z Ameryki Północnej. Wytwarzają oni wiele przedmiotów z ptasich piór, co oczywiście łamie prawo numer 39.

– To idiotyczne – skomentowała Wioletka.

– Zgadzam się z tobą – rzekł Klaus – ale to całe szczęście, że ta książka była tutaj, a nie w bibliotece miejskiej, gdyż jej lektura podsunęła mi pewien pomysł. Przestudiowałem rozdział na temat psychologii tłumu.

– A co to? – spytało Słoneczko.

– Tłum to duże zbiorowisko ludzkie – wyjaśnił Klaus. – Zazwyczaj gniewne.

– Tak jak obywatele i Rada Starszych wczoraj na zebraniu w Ratuszu – skojarzyło się Wioletce. – Byli wszyscy okropnie źli.

– No właśnie – przytaknął Klaus. – A teraz posłuchajcie.

Otworzył drugą księgę i przeczytał głośno:

– „Podprogowy tonus emocjonalny nieokiełznanego tłumu ma swoje źródła w opiniach poszczególnych jednostek, wyrażanych emfatycznie w różnych punktach stereofonicznej przestrzeni społecznej".

– Tonus? Przestrzeń stereofoniczna? – zdziwiła się Wioletka. – Czy ty przypadkiem nie czytasz o operze?

– Dzieło to posługuje się językiem dość skomplikowanym – przyznał Klaus – ale na szczęście znalazłem w księgozbiorze Hektora słownik terminologiczny. Usunięto go z biblioteki miejskiej, bo definiuje termin „urządzenie mechaniczne". Zdanie, które zacytowałem, mówi z grubsza, że jeśli w tłumie znajdą się równomiernie rozstawione osoby, wykrzykujące swoje opinie, cały tłum wkrótce przejmie ich poglądy. Tak właśnie stało się na wczorajszym zebraniu w Ratuszu: wystarczyło, że parę osób wypowiedziało gniewne poglądy, aby cała sala zawrzała wściekłością.

– Wi! – pisnęło Słoneczko, komunikując: „Tak było, pamiętam".

– Chodźmy do więzienia – podsumował Klaus – i przypilnujmy, aby Jacques otrzymał prawo głosu. Kiedy będzie przemawiał, my troje rozproszymy się w tłumie i zaczniemy wykrzykiwać hasła popierające, na przykład: „Ja mu wierzę!" albo „Dobrze gada!". Zgodnie z regułą psychologii tłumu, wszyscy powinni się niebawem zacząć domagać uwolnienia Jacques'a.

– Naprawdę myślisz, że to poskutkuje? – zwątpiła Wioletka.

– Chętnie bym to sprawdził – odparł Klaus – tak jak ty sprawdziłabyś chętnie działanie samowystarczalnego balonowego domu. Ale nie mamy czasu. No a ty, Słoneczko? Odkryłaś coś przez noc pod drzewem?

Słoneczko wyciągnęło do góry małą łapkę, a w niej zwitek papieru.

– Kuplet! – obwieściło dumnie.

Wioletka z Klausem schylili się skwapliwie, aby odczytać wiadomość.

A w tym, co pierwsze, sekret cały:
Najwięcej mówią do was inicjały.

– Brawo, Słoneczko! – pochwaliła siostrzyczkę Wioletka. – Nie ulega wątpliwości, że to kolejny wiersz Izadory Bagiennej.

– I że odsyła on nas z powrotem do pierwszego kupletu – dodał Klaus. – Powiada: „A w tym, co pierwsze, sekret cały".

– A co miałoby znaczyć: „Najwięcej mówią do was inicjały?" – głowiła się Wioletka. – Inicjały? Czy chodzi o WZS?

– Możliwe – przyznał Klaus. – Ale z kolei słowo „inicjalny" oznacza wszystko, co początkowe. Moim zdaniem, Izadora wyznaje w tym wierszu, że te kuplety to jej pierwsze wypowiedzi.

– To przecież sami wiemy – zauważyła Wioletka. – Bagienni nie muszą nam tłumaczyć takich rzeczy. Przyjrzyjmy się lepiej wszystkim trzem kupletom naraz. Może całość da nam jakiś obraz.

Wioletka wyjęła z kieszeni dwie wcześniejsze karteczki i ułożyła je przed rodzeństwem.

Fałszywiec dla szafirów nas tu niecnie schował.
Obyście nas zdołali w porę uratować.

Nam milczeć trzeba do świtu jak grób.
Teraz nic wam nie powie ten żałosny dziób.

A w tym, co pierwsze, sekret cały:
Najwięcej mówią do was inicjały.

– Dla mnie najbardziej zagadkowe jest to o dziobie – powiedział Klaus.

– Leukofris! – zawołało Słoneczko, komunikując: „Mogę ci to wyjaśnić: wiersze przynoszą kruki".

– Jakże to możliwe? – zdumiała się Wioletka.

– Lojda! – odparło Słoneczko, komunikując coś w sensie: „Jestem absolutnie pewna, że przez całą noc nikt nie zbliżył się do drzewa, a o świcie ta karteczka spadła na ziemię z gałęzi".

– Słyszałem o gołębiach pocztowych, które w ten sposób zarabiają na życie – rzekł Klaus. – Ale jak żyję, nie słyszałem o krukach pocztowych.

– Może one nie wiedzą, że są krukami pocztowymi? – zasugerowała Wioletka. – Może Bagienni przyczepiają im jakimś sposobem zwinięte karteczki – na przykład wtykają im je w dziób albo między pióra – a potem nocą, gdy kruki śpią na Drzewie Nigdyjuż, karteczki rozwijają się i wypadają. Jedno jest pewne: trojaczki Bagienne są gdzieś w WZS. Tylko gdzie?

– Ko! – pisnęło Słoneczko, wskazując ułożone kuplety.

– Słoneczko ma rację! – ożywił się Klaus. – Tekst mówi: „Nam milczeć trzeba do świtu jak grób". To znaczy, że Bagienni przymocowują wiersze do kruków z rana, gdy ptaki przelatują do centrum.

– A więc mamy jeszcze jeden powód, aby udać się do centrum – podsumowała Wioletka. – Po pierwsze: uratować Jacques'a, a po drugie: poszukać Bagiennych. Bez twojej pomocy, Słoneczko, nie mielibyśmy pojęcia, gdzie ich szukać.

– Hasserin – odparło skromnie Słoneczko, komunikując: „A bez Klausa nie wiedzielibyśmy, jak uratować Jacques'a".

– A bez Wioletki – uzupełnił Klaus – nie mielibyśmy szans na ucieczkę z tej miejscowości.

– A jak postoimy tu jeszcze trochę – wpadła mu w słowo Wioletka – nie uratujemy nikogo. Chodźmy obudzić Hektora i ruszajmy w drogę. Rada Starszych ma spalić Jacques'a na stosie zaraz po śniadaniu.

– Iks! – stropiło się Słoneczko, komunikując: „No to rzeczywiście mamy mało czasu".

Bez dalszego gadania pospieszyli więc do stodoły, gdzie minęli bibliotekę Hektora – tak ogromną, że obu siostrom Baudelaire nie mieściło się w głowie, iż Klaus potrafił znaleźć właściwą informację wśród tysięcy tomów zapełniających setki półek. Stały tam regały tak wysokie, że do ich górnych półek można było sięgnąć tylko po drabinie, oraz regały tak niskie, że trzeba się było położyć na podłodze, aby odczytać tytuły na grzbietach książek. Niektóre księgi były tak ogromne, że zdawały się wprost nie do ruszenia, inne znów tak cieniutkie i leciutkie, że to wprost cud, iż ustały w jednym miejscu. Niektóre dzieła wyglądały tak nudno, że siostry Baudelaire nie mogły sobie wyobrazić, aby ktoś je czytał – a takie właśnie leżały w wielkich stosach na stole, przy którym Klaus przez całą noc oddawał się lekturze. Wioletka i Słoneczko bardzo chciały zatrzymać się choć na chwilę i spróbować to wszystko ogarnąć, ale czas naglił.

Za ostatnim regałem mieścił się warsztat Hektora, gdzie Klaus i Słoneczko po raz pierwszy ujrzeli samowystarczalny balonowy dom. Było to zaiste oszałamiające urządzenie. Dwanaście gigantycznych koszy, każdy rozmiarów niedużego pokoju, stało jeden przy drugim w kącie stodoły. Kosze były wzajemnie połączone systemem rur, rurek i przewodów elektrycznych, a całość otaczały wielkie metalowe zbiorniki, drewniane skrzynie, szklane dzbany, papierowe torby, plastikowe pojemniki, kłębki sznurków oraz mnóstwo dużych aparatów z przyciskami, klawiszami i dźwigniami. Z boku leżała sterta nienadmuchanych balonów. Samowystarczalny balonowy dom był tak przeogromny i skomplikowany, jak obraz wynalazczego mózgu Wioletki, który jawił się w wyobraźni dwojgu młodszym Baudelaire'om – i tak interesujący, że Klaus i Słoneczko nie wiedzieli wprost, na co mają najpierw patrzeć. Wiedzieli jednak wszyscy, że czas nagli, toteż Wioletka, zamiast wyjaśniać rodzeństwu cokolwiek, podeszła szybko do jednego z koszy, w którym

Klaus i Słoneczko ze zdumieniem odkryli łóżko, w łóżku zaś – śpiącego Hektora.

– Dzień dobry – powitał ich pan złota rączka, gdy Wioletka potrząsnęła go za ramię.

– Rzeczywiście bardzo dobry – przyznała Wioletka. – Dokonaliśmy paru wspaniałych odkryć. Wszystko ci wyjaśnimy w drodze do centrum.

– Do centrum? – speszył się Hektor, który właśnie wyłaził z kosza. – Przecież o tej porze dnia w centrum urzędują kruki. Rano wykonujemy prace na peryferiach, zapomnieliście?

– Dzisiaj rano nie będziemy wykonywać żadnych prac – rzekł twardo Klaus. – To też wytłumaczymy ci po drodze.

Hektor ziewnął, przeciągnął się, potarł oczy, a potem uśmiechnął się do trójki dzieci.

– Walcie śmiało! – zachęcił je, używając zwrotu, który tu oznacza: „Zdradźcie mi swoje plany".

Dzieci wyprowadziły Hektora ze stodoły, przez warsztat i sekretną bibliotekę, a potem poczekały, aż zarygluje wrota. Ledwie ruszyli przez płaski krajobraz w stronę centrum WZS, sieroty

Baudelaire walnęły śmiało. Wioletka opowiedziała Hektorowi, jak usunęła usterki w jego konstrukcji. Klaus opowiedział mu, co wyczytał w sekretnej bibliotece. A Słoneczko – z pewną pomocą rodzeństwa w roli tłumaczy – opowiedziało o odkryciu sposobu dostarczania wierszy Izadory pod Drzewo Nigdyjuż. Rozwijając najnowszą karteczkę, aby pokazać Hektorowi trzeci kuplet Izadory, wkroczyli w obręb pełnej już kruków dzielnicy centralnej WZS.

– A więc Bagienni przebywają, waszym zdaniem, gdzieś w centrum – powiedział Hektor. – Ale gdzie?

– Nie wiemy – przyznała Wioletka. – Tak czy owak, najpierw zajmijmy się ratowaniem Jacques'a. Gdzie się mieści więzienie?

– Naprzeciwko Ptasiej Fontanny – odparł pan złota rączka. – Ale obejdziemy się chyba bez przewodnika: spójrzcie, co tam się dzieje.

Dzieci ujrzały tłum ludzi z płonącymi pochodniami, maszerujący do centrum w odległości mniej więcej jednej przecznicy od nich.

– Widocznie są już po śniadaniu – powiedział Klaus. – Pospieszmy się.

Baudelaire'owie lawirowali, jak umieli najzręczniej, między rozszemranymi krukami, które obsiadły ziemię. Hektor przemykał się płochliwie za nimi. Wkrótce dotarli w pobliże Ptasiej Fontanny, czy też raczej jej nader skąpych, dostępnych oczom widza fragmentów. Fontannę oblegały kruki, które z wielkim trzepotem brały poranną kąpiel w kaskadach wody. Przez ich krucze pióra nie było widać ani jednego rzeźbionego piórzyska na paskudnym metalowym posągu. Po drugiej stronie placu wznosił się gmach z zakratowanymi oknami. Wejście do gmachu otaczała półkolem zwarta grupa obywateli z pochodniami. Gapie ciągnęli na plac ze wszystkich stron, a w zgromadzonym już tłumie Baudelaire'owie dostrzegli kilkoro członków Rady Starszych w kruczych kapeluszach, którzy stali wianuszkiem i słuchali, co do nich peroruje pani Jutrzejsza.

– Zdaje się, że przyszliśmy w samą porę – stwierdziła Wioletka. – Teraz rozproszmy się w tłumie. Ty, Słoneczko, idź w lewy koniec placu, a ja pójdę w prawy.

– Tajes! – odmeldowało się Słoneczko i ruszyło na czworakach w tłum po lewej stronie.

– Ja chyba zostanę tutaj – bąknął cicho Hektor, który znów patrzył w ziemię.

Baudelaire'owie nie mieli czasu się z nim spierać. Klaus bez słowa ruszył przed siebie.

– Chwileczkę! – wołał, przeciskając się przez zwarty tłum. – Prawo numer 2493 stanowi, że osoba skazana na stos ma prawo do publicznej wypowiedzi tuż przed podpaleniem stosu!

– Tak jest! – krzyczała Wioletka z prawej strony placu. – Pozwólmy Jacques'owi mówić!

Nagle tuż przed Wioletką wyrosła jak spod ziemi Oficer Lucjana – Wioletka omal nie zderzyła się czołowo z jej błyszczącym hełmem policyjnym. Spod osłony wyzierał malowany, wściekle czerwony, bardzo krzywy uśmieszek.

– Za późno na te krzyki – oświadczyła Oficer Lucjana, a kilkoro stojących najbliżej obywateli pomrukami przyznało jej rację.

Z dźwięcznym tupnięciem podkutego buta Oficer Lucjana odstąpiła na bok, odsłaniając przed Wioletką scenę zdarzeń. Słoneczko dobrnęło właśnie do Wioletki z lewej strony, gramoląc się po butach stojących pod więzieniem obywateli, a unieruchomiony w tłumie Klaus, wspiąwszy się na palce, spoglądał ponad ramieniem pana Lesko na to, na co gapili się w tej chwili wszyscy zebrani. Jacques leżał na ziemi, oczy miał zamknięte, a dwoje członków Rady Starszych naciągało na niego białą płachtę, jakby go otulali kołderką na dobranoc. Bardzo bym chciał powiedzieć wam, że Jacques po prostu zasnął, lecz niestety, nie jest to prawda.

Baudelaire'owie istotnie dotarli pod więzienie, zanim obywatele WZS spalili Jacques'a na stosie, ale i tak nie dotarli tam w porę.

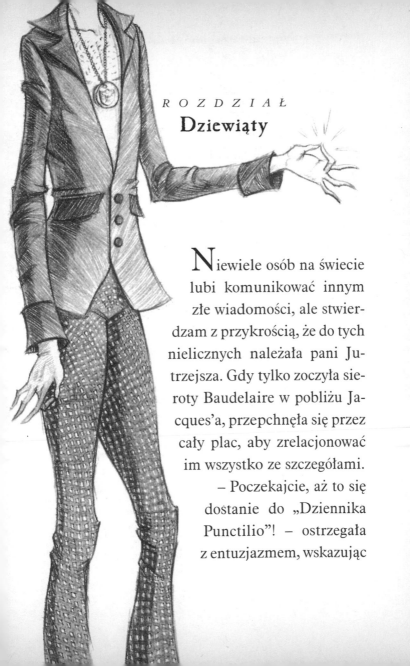

Niewiele osób na świecie lubi komunikować innym złe wiadomości, ale stwierdzam z przykrością, że do tych nielicznych należała pani Jutrzejsza. Gdy tylko zoczyła sieroty Baudelaire w pobliżu Jacques'a, przepchnęła się przez cały plac, aby zrelacjonować im wszystko ze szczegółami.

– Poczekajcie, aż to się dostanie do „Dziennika Punctilio"! – ostrzegała z entuzjazmem, wskazując na Jacques'a powłóczystym mankietem swojego różowego szlafroka. – Zanim zdążył spłonąć na stosie, Hrabia Omar padł ofiarą tajemniczego morderstwa w więziennej celi.

– Hrabia Olaf! – poprawiła ją odruchowo Wioletka.

– A więc nareszcie przyznaliście się, że go znacie! – krzyknęła triumfalnie pani Jutrzejsza.

– Nie znamy go w ogóle! – zaprotestował Klaus, biorąc na ręce siostrzyczkę, która zaczynała cichutko popłakiwać. – Wiemy o nim tylko tyle, że to niewinny człowiek!

Ale Oficer Lucjana już maszerowała dźwięcznie przed tłum, który rozstępował się na boki, otwierając jej drogę do sierot Baudelaire.

– To nie są sprawy dla dzieci! – stwierdziła kategorycznie, unosząc rękę w białej rękawiczce, aby ściągnąć na siebie uwagę tłumu. – Obywatele WZS! – zaapelowała. – Ubiegłej nocy zamknęłam Hrabiego Olafa w więziennej celi. Gdy przyszłam tam dziś rano, więzień leżał zamordowany. Mamy tylko jeden klucz do więzienia, więc śmierć więźnia pozostaje tajemniczą zagadką.

– Tajemniczą zagadką! – powtórzyła z rozkoszą pani Jutrzejsza, a w całym tłumie rozległo się szemranie. – Czy to nie cudowne? Tajemnicze morderstwo!

– Szart! – chlipnęło Słoneczko, komunikując coś w sensie: „Trup to nie jest nic cudownego!", lecz usłyszeli je tylko brat i siostra.

– Na pewno ucieszą się państwo, że dochodzenie w sprawie morderstwa zgodził się poprowadzić słynny Detektyw Dupin – obwieściła Oficer Lucjana. – Jest on już na terenie więzienia i przeprowadza wizję lokalną.

– Słynny Detektyw Dupin! – zachwycił się pan Lesko. – Coś podobnego!

– Nigdy o takim nie słyszałam – burknęła stojąca obok niego Radna Starsza.

– Ja też nie – przyznał się pan Lesko – ale najważniejsze, że to ktoś słynny.

– Ale jak to się stało? – spytała Wioletka, usiłując omijać wzrokiem białą płachtę na ziemi. –

W jaki sposób zginął Jacques? Dlaczego nikt go nie pilnował? Jak morderca mógł wejść do zamkniętej celi?

Lucjana odwróciła się i stanęła oko w oko z Wioletką, która ujrzała własne odbicie w lśniącym hełmie Szefowej Policji.

– Mówiłam już, że to nie są sprawy dla dzieci. Może ten pan w kombinezonie zabrałby was raczej na plac zabaw, zamiast na miejsce zbrodni.

– Albo na peryferie, do roboty – dodała Radna Starsza, trzęsąc kapeluszem. – Hektorze, proszę natychmiast zabrać stąd dzieci.

– Po co ten pośpiech? – odezwał się gromki głos od progu więzienia.

Stwierdzam ze smutkiem, że sieroty Baudelaire rozpoznały ten głos natychmiast. Był świszczący, chrapliwy i nieznośnie szyderczy, jakby jego posiadacz opowiadał strasznie złośliwy dowcip. Sierotom Baudelaire wcale jednak nie było do śmiechu, gdy go usłyszały. Znały one ten przykry głos skądinąd, z wielu miejsc, do których rzucały ich losy po śmierci rodziców – głos ten towarzyszył najkoszmarniejszym snom Baudelaire'ów. Był to głos Hrabiego Olafa.

Dzieciom serca stanęły w gardłach, gdy odwróciwszy się, ujrzały Olafa w drzwiach więzienia. Był przebrany, jak zwykle. Miał na sobie jaskrawoturkusowy sweter, na który nie dało się patrzeć bez zmrużenia oczu, i srebrne spodnie obszyte miniaturowymi lusterkami, z których każde odbijało poranne słońce. Górną część twarzy Olafa zasłaniały wielkie czarne okulary, maskujące pojedynczą brew i niesamowicie błyszczące oczy. Na nogach Olaf miał wściekle zielone plastikowe buty z żółtymi klamerkami w kształcie błyskawic. Buty te sięgały nad kostkę, zasłaniając tatuaż. Najobrzydliwsze jednak ze wszystkiego było to, że Olaf nie miał na sobie koszuli, tylko zawieszony na gołej piersi gruby, złoty łańcuch, na którym dyndała odznaka detektywa. Blada, włochata pierś Olafa, wypięta na Baudelaire'ów, sprawiła, że oprócz lęku poczuli oni straszny niesmak.

– Nie wypada – rzekł Hrabia Olaf, pstrykając palcami na podkreślenie słowa „wypada" –

odprawiać podejrzanych z miejsca zbrodni, dopóki Detektyw Dupin nie wyrazi na to zgody.

– Chyba nie podejrzewa pan sierot? – zdziwiła
się Radna Starsza. – To przecież jeszcze dzieci.

– Nie wypada – odparł Olaf, znów pstrykając
palcami przy słowie „wypada" – polemizować
z Detektywem Dupinem.

– Racja – potwierdziła Oficer Lucjana, uśmiechając się promiennie do Olafa, który właśnie
przekraczał próg więzienia. – A więc do roboty,
panie Dupin. Zebrał pan jakieś istotne informacje?

– To raczej my zebraliśmy istotne informacje –
wtrącił się śmiało Klaus. – Ten pan to nie żaden
Detektyw Dupin. – Tłum zamarł w napięciu. –
To Hrabia Olaf.

– Chyba Hrabia Omar – poprawiła go pani
Jutrzejsza.

– Hrabia Olaf! – powtórzyła z uporem Wioletka, po czym spojrzała Hrabiemu Olafowi prosto
w czarne okulary. – Chociaż te okulary zasłania-
ją pojedynczą brew, a buty tatuaż na nodze, my

i tak dobrze wiemy, kim jesteś. Hrabią Olafem, porywaczem trojaczków Bagiennych i mordercą Jacques'a.

– Co za Jacques, o kim tu mowa? – odezwała się jakaś Radna Starsza. – Wszystko mi się pokręciło.

– Nie wypada – rzekł Olaf, pstrykając palcami – aby tak czcigodnej osobie wszystko się kręciło. Chętnie pani pomogę. Ja – wskazał na siebie teatralnym gestem – jestem Detektyw Dupin. Noszę plastikowe buty i czarne okulary, bo są ostatnio w modzie. Hrabia Olaf to nazwisko mężczyzny, który został zamordowany ubiegłej nocy, a te dzieci... – w tym miejscu Olaf przerwał, upewniając się, czy każdy go słucha – ...są sprawcami zbrodni.

– Bez głupich żartów, Olafie! – zawołał z niesmakiem Klaus.

Olaf uśmiechnął się jadowicie do Baudelaire'ów.

– Popełniacie błąd, tytułując mnie Hrabią Olafem – wycedził przez zęby – a jeżeli natychmiast nie przestaniecie, przekonacie się sami, jak gruby był to błąd. – W tym miejscu Detektyw Dupin odwrócił się do tłumu. – Naturalnie, nie tak wielki, jak błędne przekonanie tych tu dzieci, że uda im się uniknąć odpowiedzialności za zbrodnię.

W tłumie rozległy się pomruki aprobaty.

– Nigdy nie miałam zaufania do tych dzieci – stwierdziła pani Jutrzejsza. – Bardzo niestarannie przystrzygły mi żywopłot.

– Proszę pokazać im dowody! – zarządziła Oficer Lucjana, a Detektyw Dupin pstryknął palcami.

– Nie wypada – powiedział – oskarżać ludzi o zbrodnie nie mając dowodów, ale na szczęście mnie udało się takowe znaleźć. – Sięgnął do kieszeni marynarki i wyciągnął długą różową wstążkę ozdobioną plastikowymi stokrotkami. – Tę wstążkę znalazłem w celi Hrabiego Olafa. Taką samą wstążką Wioletka Baudelaire ma zwyczaj związywać włosy.

Tłum wstrzymał oddech, a Wioletka obejrzawszy się za siebie ujrzała, że obywatele WZS popatrują na nią z nieufnością i lękiem, co wcale nie jest przyjemne.

– To nie moja wstążka! – krzyknęła Wioletka, wyciągając własną wstążkę z kieszeni. – Swoją mam tutaj!

– I wcale nie są do siebie podobne! – dodał Klaus. – Ta, którą znaleziono na miejscu zbrodni, jest różowa i ozdobna, a moja siostra woli wstążki skromne i nienawidzi różowego koloru!

– W celi – ciągnął jak gdyby nigdy nic Detektyw Dupin – znaleziono również ten przedmiot. – Zademonstrował zgromadzonym niewielki szklany krążek. – Oto szkło z okularów Klausa.

– Bzdura! Moim okularom nie brakuje żadnego szkła! – oburzył się Klaus, a tłum teraz na niego spojrzał nieufnie i z lękiem. Klaus zdjął okulary i pokazał je zgromadzonym.

– To, że macie zapasową wstążkę i szkło do okularów – stwierdziła Oficer Lucjana – nie znaczy jeszcze, że jesteście niewinni.

– Ściśle mówiąc, ci dwoje nie są mordercami – rzekł na to Detektyw Dupin. – To wspólnicy. –

Nachylił się tak, że zajrzał Baudelaire'om prosto w oczy i mówił dalej, chuchając na nich nieświeżym oddechem. – Za głupie jesteście, sieroty, żeby wiedzieć, co znaczy słowo „wspólnik", więc wam wyjaśnię, że znaczy ono: „pomocnik w zbrodni".

– Wiemy, co znaczy słowo „wspólnik" – sprostował Klaus. – Ale o co tu chodzi?

– Chodzi o cztery ślady zębów odkryte na ciele Hrabiego Olafa – odrzekł spokojnie Detektyw Dupin i pstryknął palcami. – Tylko jedna osoba z tu zebranych nie wie, że nie wypada zagryzać ludzi na śmierć, a tą osobą jest Słoneczko Baudelaire.

– Fakt, że ma ostre zęby – potwierdził ktoś z Rady Starszych. – Zauważyłem to, jak mi podawała ciastko z budyniem.

– Nasza siostra nikogo nie zagryzła na śmierć – oświadczyła zbulwersowana Wioletka, a słowo „zbulwersowana" znaczy tu: „stająca w obronie niewinnego dziecięcia". – Detektyw Dupin kłamie!

– Nie wypada oskarżać mnie o kłamstwo – skarcił ją Detektyw Dupin. – Zamiast oskarżać innych, może byście się przyznali, co robiliście ubiegłej nocy?

– Byliśmy w domu u Hektora – powiedział Klaus. – Hektor może zaświadczyć. – Klaus wspiął się na palce i zawołał w tłum: – Hektorze! Powiedz wszystkim, że byliśmy wczoraj z tobą!

Obywatele rozglądali się na wszystkie strony, Rada Starszych kiwała kapeluszami, ale nie doczekali się ani słowa od Hektora. Sieroty Baudelaire czekały w napięciu, pewne, że Hektor pokona pietra, aby ich bronić. Ale słychać było jedynie plusk Ptasiej Fontanny i szemranie wszechobecnych kruków.

– Hektor dostaje czasem pietra w obecności tłumu – wyjaśniła Wioletka. – Ale my mówimy prawdę. Ja całą noc spędziłam w warsztacie Hektora, Klaus w sekretnej bibliotece, a...

– Dość tych bzdur! – przerwała jej Oficer Lucjana. – Chcesz, żebyśmy uwierzyli, że nasz nieoceniony pan złota rączka montuje urządzenia mechaniczne i ma tajną bibliotekę? Pewnie zaraz nam powiesz, że do tego wyrabia rozmaite rzeczy z ptasich piór?

– Nie dość, że zabiliście Hrabiego Olafa, to jeszcze oskarżacie o zbrodnie Hektora? – oburzył się przedstawiciel Rady Starszych. – Proponuję, aby WZS zrzekło się opieki nad takimi zdeprawowanymi sierotami!

– Brawo, brawo! – rozległo się kilka głosów w tłumie.

Była to reakcja tłumu na wyrażoną dobitnie opinię, co jeszcze niedawno Baudelaire'owie sami chcieli wykorzystać.

– Natychmiast wyślę list do pana Poe – zapowiedział ten sam Radny Starszy. – Niech bankier przyjeżdża i zabiera sobie te dzieciaki, ma na to kilka dni.

– Kilka dni to za długo! – sprzeciwiła się pani Jutrzejsza, a kilka głosów skwapliwie ją poparło. – Tymi dziećmi trzeba się zająć natychmiast!

– No to spalmy je na stosie! – krzyknął pan Lesko, występując do przodu i wygrażając dzieciom palcem. – Prawo numer 201 stanowi, że nie wolno nikogo mordować!

– Przecież myśmy nikogo nie zamordowali! – zawołała rozpaczliwie Wioletka. – Wstążka, szkło od okularów i ślady zębów nie stanowią wystarczających dowodów do oskarżenia o morderstwo!

– Dla mnie te dowody są wystarczające! – odkrzyknęła jej któraś z Radnych Starszych. – Mamy gotowe pochodnie, spalmy ich już teraz!

– Chwileczkę, chwileczkę! – przywołał ją do porządku inny Radny Starszy. – Nie możemy palić ludzi na stosie, kiedy nam się zechce! – Baudelaire'owie spojrzeli po sobie z ulgą, widząc, że chociaż jeden obywatel WZS okazał się odporny na psychologię tłumu. – Ja na przykład za dziesięć minut mam bardzo ważne spotkanie – kontynuował oporny. – Dla mnie dzisiaj jest za późno na palenie. Może byśmy to przełożyli na wieczór?

– Nic z tego – zaoponował inny członek Rady Starszych. – Ja wieczorem mam przyjęcie urodzinowe. Proponuję jutro po południu.

– Świetnie! – krzyknął ktoś z tłumu. – Najlepiej zaraz po obiedzie! Idealna pora!

– Brawo, brawo! – zawołał pan Lesko.

– Brawo, brawo! – zawołała pani Jutrzejsza.

– Radzi! – pisnęło ze zgrozą Słoneczko.

– Hektorze, pomocy! – zawołała Wioletka. – Powiedz im, że nie jesteśmy mordercami!

– Powiedziałem przecież wyraźnie – odparł jej Detektyw Dupin, uśmiechając się spod okularów. – Mordercą jest tylko Słoneczko. Wy dwoje jesteście wspólnikami. I wszystkich was razem wsadzę do więzienia, bo tam wasze miejsce. – Dupin jednym łapskiem chwycił za ręce Wioletkę i Klausa, a drugim sięgnął po Słoneczko. – Do zobaczenia przy stosie, jutro po obiedzie! – krzyknął do tłumu, po czym zaciągnął opierających się Baudelaire'ów do więzienia. Dzieci szły potykając się przez ponury korytarz i do chwili zamknięcia drzwi więzienia słyszały coraz cichsze odgłosy wiwatującego tłumu.

– Wsadzę was do Celi Luksusowej – oznajmił Dupin. – Tam jest najbrudniej.

I poprowadził dalej sieroty Baudelaire ciemnym, strasznie krętym korytarzem, mijając długie rzędy więziennych cel z ciężkimi, pootwieranymi drzwiami. Jedyne światełko w każdej celi pochodziło z wysoko umieszczonego zakratowanego okienka. Wszystkie cele stały puste, tylko każda następna była brudniejsza od poprzedniej.

– Ty też niedługo wylądujesz w więzieniu, Olafie – zapowiedział Klaus, mając nadzieję, że w jego głosie zabrzmi niezłomna pewność, której on sam nie odczuwał. – Nie myśl, że ci się upiecze.

– Nazywam się Detektyw Dupin – sprostował Detektyw Dupin – i zależy mi tylko na doprowadzeniu was, trojga przestępców, przed oblicze sprawiedliwości.

– Przecież gdy nas spalisz na stosie – wpadła mu w słowo Wioletka – nigdy nie położysz łapy na majątku Baudelaire'ów.

Dupin skręcił za ostatni róg korytarza i wepchnął Baudelaire'ów do ciasnej, wilgotnej celki, z jedną tylko małą ławeczką w charakterze umeblowania. Przy nędznym świetle z zakratowanego okienka sieroty zobaczyły, że cela jest istotnie bardzo brudna, tak jak im to obiecał Dupin. Detektyw wyciągnął rękę, aby zamknąć drzwi celi, ale w ciemnościach i czarnych okularach nie mógł dostrzec klamki, więc porzucił wszelkie pretensje – co tutaj znaczy: „pozbawił się na chwilę elementu swego przebrania" – i zdjął okulary. Jakkolwiek wstrętny był dla Baudelaire'ów idiotyczny kostium Detektywa Dupin, znacznie gorszy okazał się widok pojedynczej brwi i niesamowicie błyszczących oczu wroga, który ich ścigał od tak dawna.

– Nie bójcie się – rzekł prześladowca świszczącym głosem. – Nie spłoniecie na stosie – przynajmniej nie wszyscy. Jutro po południu jedno z was zdoła uciec stąd w niewyjaśnionych okolicznościach – o ile uprowadzenie z WZS przez jednego z moich asystentów można nazwać ucieczką. Pozostała dwójka spłonie na stosie zgodnie z wyrokiem. Może nie wiecie tego, głupie, bezczelne sieroty, ale ja – geniusz – wiem doskonale, że chociaż potrzeba całej wioski do wychowania dziecka, wystarczy jedno dziecko do odziedziczenia fortuny. – Łotr zaśmiał się szyderczo i zaczął z wolna domykać drzwi celi. – Nie chcę być okrutny – dodał z uśmiechem, który zdradzał, że stać go na każde okrucieństwo. – Pozwalam wam łaskawie samym zadecydować, komu przypadnie honor spędzenia ze mną reszty nędznego żywota. Wrócę w porze obiadowej, aby poznać waszą decyzję.

Sieroty Baudelaire długo jeszcze słyszały szyderczy chichot wroga, gdy ten zatrzasnął drzwi za sobą i ruszył z powrotem korytarzem, tupiąc plastikowymi butami. Czuły przy tym niemiły ucisk w żołądkach, które trawiły jeszcze huevos rancheros z wczorajszej kolacji u Hektora. Zazwyczaj trawiony pokarm zmniejsza stopniowo swoją objętość w żołądku, w miarę jak organizm człowieka zużywa zawarte w nim składniki odżywcze, ale sieroty Baudelaire odczuwały tego dnia coś wprost przeciwnego. Słoneczku wcale się nie zdawało, że ubywa mu w brzuchu drobnej kaszki z wczorajszej kolacji. Wszyscy troje skupili się w gromadkę w nędznym blasku światła, słuchając straszliwego śmiechu odbijanego echem po murach więzienia i zadając sobie w duchu pytanie, do jakich jeszcze monstrualnych rozmiarów może się rozrosnąć drobna kaszka ich życia.

Zajmowanie się jakąś sprawą – podobnie jak zajmowanie się młodszym kuzynkiem albo stadem hien – to coś, czego bardzo niebezpiecznie jest odmawiać. Jeżeli odmówimy zajmowania się młodszym kuzynkiem, kuzynek może się w końcu znudzić i sam się sobą zająć, wychodząc na przykład z domu i wpadając do studni. Jeżeli odmówimy zajmowania się stadem hien, mogą one wpaść w irytację i pożreć nas ze złości. Lecz odmowa zajęcia się jakąś sprawą – co oznacza po prostu, że nie chce nam się o tej sprawie myśleć – wymaga znacznie większej odwagi niż konfrontacja z krwiożerczym zwierzęciem albo rozżalonymi rodzicami kuzynka, którzy właśnie znaleźli swoje kochane maleństwo na dnie studni. A to dlatego, że nikt nie jest w stanie przewidzieć, jak rozwinie się sprawa, kiedy zacznie się sama sobą zajmować, zwłaszcza gdy jest to sprawa mająca swoje źródło w fantazji podłego łotra.

– Nie obchodzi mnie to, co gadał ten okropny człowiek – stwierdziła Wioletka, gdy na zewnątrz ucichły plastikowe kroki Detektywa Dupina. Nie będziemy wybierać, kto z nas ma uciec, a kto spłonąć na stosie. Kategorycznie odmawiam zajmowania się tą sprawą.

– No to co zrobimy? – spytał Klaus. – Spróbujemy skontaktować się z panem Poe?

– Pan Poe nam nie pomoże – odparła Wioletka. – Znów powie, że rujnujemy reputację jego banku. Musimy stąd uciec.

– Fru! – powiedziało Słoneczko.

– Wiem, że siedzimy w więziennej celi – przyznała Wioletka. – Ale musi istnieć jakaś droga ucieczki.

Wioletka wyciągnęła z kieszeni wstążkę i związała włosy, chociaż palce jej się trzęsły.

Przemówiła przed chwilą z wielką stanowczością, lecz wcale nie była tak pewna siebie, jak świadczył o tym jej głos. Cela więzienna to miejsce urządzone specjalnie do przetrzymywania ludzi, więc Wioletka nie była pewna, czy zdoła dokonać tu wynalazku umożliwiającego Baudelaire'om ucieczkę. Ledwie jednak odgarnęła włosy z oczu i ściągnęła je wstążką, jej wynalazczy umysł zaczął działać na pełnych obrotach. Wioletka rozejrzała się po celi w poszukiwaniu jakiegoś pomysłu. Najpierw spojrzała na drzwi i zbadała je wzrokiem cal po calu.

– Myślisz, że uda ci się zrobić następny wytrych? – spytał z nadzieją Klaus. – Ten, który zmajstrowałaś, gdy mieszkaliśmy u Wujcia Monty'ego, był świetny.

– Nie tym razem – odparła Wioletka. – Drzwi zamykają się od zewnątrz, więc wytrych na nic się nie przyda.

Przymknęła na chwilę oczy, po czym zwróciła je do góry, na zakratowane okienko. Brat i siostrzyczka podążyli za nią wzrokiem, co tutaj znaczy: „też popatrzyli na okienko, usiłując wymyślić coś pożytecznego".

– Bojkilio? – zagadnęło Słoneczko, komunikując: „Czyżbyś chciała sporządzić kilka lutownic i stopić nimi kraty? Te, które zmajstrowałaś, gdy mieszkaliśmy u Szpetnych, były doskonałe".

– Nie tym razem – odparła Wioletka. – Gdybym stanęła na ławce, a Klaus stanął na moich ramionach, a ty, Słoneczko, na ramionach Klausa, być może dosięgnęlibyśmy do okienka, ale nawet po usunięciu krat będzie ono za małe, by ktokolwiek z nas zdołał się przez nie przecisnąć. Najwyżej, ty, Słoneczko.

– Słoneczko mogłoby zawołać o pomoc przez okienko – zasugerował Klaus.

– Psychologia tłumu sprawia, że wszyscy obywatele WZS uważają nas za zbrodniarzy – przypomniała mu Wioletka. – Nikt nie zechce ratować skazanej morderczyni i dwojga jej wspólników.

Wioletka znów przymknęła oczy w wielkim namyśle, po czym uklękła i przyjrzała się bacznie drewnianej ławeczce.

– O kurcze! – powiedziała.

– Gdzie? – rozejrzał się Klaus.

– Nie chodzi mi o to, że w celi znajduje się drób – wyjaśniła Wioletka, wierząc, że mówi prawdę. – Powiedziałam „o kurcze", bo miałam nadzieję, że ławka zbudowana jest z desek zbitych gwoździami albo skręconych śrubkami. Gwoździe i śrubki zawsze się przydają w budowaniu wynalazków. Ale ta ławka jest wycięta z jednej kłody drewna, więc nie zda nam się na nic.

Wioletka westchnęła i przyznała ze smutkiem:

– Nie wiem, co robić.

Klaus i Słoneczko wymienili nerwowe spojrzenia.

– Na pewno coś wymyślisz – pocieszył Wioletkę Klaus.

– Może raczej tobie się uda – odparła na to Wioletka. – Na pewno czytałeś kiedyś o czymś, co może się przydać w podobnej sytuacji.

Teraz Klaus przymknął oczy w skupieniu.

– Gdy uniesiemy jeden koniec ławki, otrzymamy rampę – rzekł po chwili. – Starożytni

Egipcjanie posługiwali się rampą przy budowie piramid.

– Kiedy my nie chcemy budować piramid! – zniecierpliwiła się Wioletka. – Chcemy uciec z tego więzienia!

– Przecież ja tylko szukam rozwiązania! – krzyknął rozżalony Klaus. – Gdyby nie ty i twoje głupie wstążki do włosów, nigdy by nas tu nie wsadzili!

– A gdyby nie ty i twoje głupie okulary – odgryzła mu się Wioletka – też byśmy tutaj nigdy nie wylądowali!

– Stop! – krzyknęło Słoneczko.

Wioletka z Klausem jeszcze przez chwilę mierzyli się wściekłymi spojrzeniami, po czym westchnęli oboje. Wioletka przesunęła się w ławce, robiąc obok miejsce rodzeństwu.

– Siadajcie – zaprosiła. – Przepraszam, że na ciebie wrzasnęłam, Klaus. To przecież nie twoja wina, że wsadzili nas do więzienia.

– Ani twoja – rzekł Klaus. – Przepraszam, nerwy mnie poniosły. Jeszcze parę godzin temu mieliśmy nadzieję, że odnajdziemy Bagiennych i uratujemy Jacques'a.

– Niestety, jeśli chodzi o Jacques'a, przyszliśmy za późno – odparła Wioletka i zadrżała na straszne wspomnienie. – Nie wiem, kim on był i dlaczego nosił tatuaż na nodze, ale na pewno nie był to Hrabia Olaf.

– Może pracował kiedyś dla Olafa – zasugerował Klaus. – Pamiętasz, mówił, że nosi tatuaż z przyczyn zawodowych. Może należał do trupy teatralnej Olafa, jak sądzisz?

– Nie wydaje mi się – odparła Wioletka. – Żaden ze wspólników Olafa nie nosi podobnego tatuażu. Gdyby Jacques przeżył, rozwiązałby naszą tajemnicę; jaka szkoda, że zginął.

– Berek – powiedziało Słoneczko, komunikując: „A gdyby Bagienni byli z nami, rozwiązaliby drugą naszą tajemnicę, zdradzając prawdziwe znaczenie skrótu WZS".

– Jedno nam tylko może pomóc – rzekł Klaus. – Deus ex machina.

– Kto to taki? – spytała Wioletka.

– Nie kto, tylko co – poprawił ją Klaus. „Deus ex machina" to łacińskie wyrażenie, które dosłownie znaczy: „bóg z maszyny". Używa się go na określenie przyjścia nagłego ratunku z najmniej spodziewanej strony. My, na przykład, pragniemy uratować dwoje trojaczków z łap podłego łotra i rozwiązać straszliwą tajemnicę, która zatruwa nam życie, ale tkwimy w brudnej więziennej celi i jutro po południu mają nas spalić na stosie. Oto wspaniały moment na pojawienie się ratunku z najmniej spodziewanej strony.

W tym samym momencie rozległo się pukanie do drzwi i zgrzyt klucza w zamku. Drzwi Celi Luksusowej otworzyły się i stanęła w nich Oficer Lucjana z groźną miną, bochenkiem chleba w jednej ręce i dzbankiem wody w drugiej.

– Gdyby to ode mnie zależało – warknęła – dałabym wam zdechnąć z głodu, ale prawo numer 141 stanowi, że skazani mają siedzieć w więzieniu o chlebie i wodzie, więc macie, co wam się należy.

Szefowa Policji wcisnęła bochenek i dzbanek w ręce Wioletki, odwróciła się na pięcie, wyszła

i natychmiast zaryglowała drzwi. Wioletka spojrzała na chleb, który wyglądał gąbczasto i nie-
apetycznie, oraz na dzbanek, ozdobiony wkoło
malunkiem siedmiu kruków w locie, po czym
stwierdziła:

– No to mamy przynajmniej jakieś pożywie-
nie. Trochę chleba i wody przyda się bardzo
naszym umysłom do prawidłowego funkcjono-
wania.

Podała dzbanek Słoneczku, a bochen Klausowi, który ujął go w ręce i przez dłuższą chwilę
wpatrywał się w chleb. Nagle odwrócił się do siostry, a ona ujrzała, że oczy Klausa napełniają się
łzami.

– Coś mi się przypomniało – powiedział
smutno Klaus. – Dzisiaj są moje urodziny. Koń-
czę trzynaście lat.

Wioletka położyła dłoń na jego ramieniu.

– Och, Klausie! Rzeczywiście, dzisiaj są twoje
urodziny. Zupełnie o tym zapomniałyśmy.

– Ja sam zapomniałem, dopiero teraz mi
się przypomniało – powiedział Klaus, patrząc

z powrotem na bochenek chleba. – Nie wiem dlaczego, ale ten chleb przypomniał mi moje dwunaste urodziny, gdy nasi rodzice upiekli pudding chlebowy, pamiętacie?

Wioletka wzięła dzbanek od Słoneczka i odstawiwszy go na ziemię usiadła obok Klausa.

– Ja pamiętam – uśmiechnęła się. – To był najgorszy deser w naszym życiu.

– Paw! – przytaknęło Słoneczko.

– Rodzice postanowili wypróbować nowy przepis – ciągnął Klaus. – Chcieli mi zrobić specjalną niespodziankę na urodziny, ale niestety, ciasto się przypaliło i dostało zakalca, a poza tym było za słone. Wtedy rodzice obiecali mi, że na trzynaste urodziny urządzą mi najlepsze przyjęcie na świecie. – Klaus popatrzył na siostry i zdjął okulary, aby obetrzeć oczy. – Nie myślcie sobie, że jestem rozpieszczony – chlipnął – ale miałem nadzieję na lepszy prezent urodzinowy niż chleb i woda w Luksusowej Celi więzienia w miejscowości Wioska Zakrakanych Skrzydlaków.

– Cima – powiedziało Słoneczko i leciutko ugryzło Klausa w rękę.

Wioletka przytuliła go i o mało sama się nie rozpłakała.

– Słoneczko ma rację, Klausie. Wcale nie jesteś rozpieszczony.

Sieroty Baudelaire popłakały sobie chwileczkę do spółki na myśl o tym, jak szybko i jak bardzo na niekorzyść zmieniło się ostatnio ich życie. Wcale nie wydawało im się, że dwunaste urodziny Klausa były dawno – a mimo to wspomnienie chlebowego puddingu z zakalcem zdążyło zblaknąć w ich pamięci niczym panorama WZS na płaskim horyzoncie w dniu, w którym tu przybyli. Dziwne to było uczucie, że coś może być jednocześnie tak bliskie i tak odległe. Sieroty Baudelaire opłakiwały też zmarłą matkę i ojca, i całe dobre życie, które zostało im odebrane owego straszliwego dnia na plaży.

Gdy się już dobrze wypłakali, Wioletka otarła oczy i z niejakim trudem uśmiechnęła się do brata.

– Klausie – powiedziała – Słoneczko i ja chcemy ofiarować ci w prezencie wszystko, czego sobie zażyczysz. Wybierz, co zechcesz z Luksusowej Celi.

– Dzięki – uśmiechnął się Klaus, omiatając wzrokiem brudną klitkę. – Tak naprawdę to chciałbym dostać tylko deus ex machina.

– To tak samo jak ja – przyznała Wioletka, biorąc od siostrzyczki dzbanek z wodą, gdyż zachciało jej się pić. Zanim jednak wypiła choćby łyk, podniosła wzrok i skierowała go w koniec celi. Potem odstawiła dzbanek, zdecydowanym krokiem podeszła do ściany i starła z niej trochę brudu, aby sprawdzić, czym pokryty jest mur. W końcu odwróciła się z uśmiechem do brata i siostry. – No to sto lat, kochany Klausie! Oficer Lucjana przyniosła nam do celi deus ex machina.

– Nieprawda, nie przyniosła nam boga w maszynie – zaprotestował Klaus. – Przyniosła tylko wodę w dzbanku.

– Buła! – dodało Słoneczko, komunikując: „Oraz chleb".

– Nic bliższego deus ex machina tutaj nie dostaniemy – odparła Wioletka. – A teraz wstańcie z ławki, bo ławka jednak nam się przyda. W charakterze rampy, tak jak to proponował Klaus.

Wioletka podłożyła bochenek dokładnie pod okienkiem i nachyliła ku niemu ławkę.

– Będziemy polewać ławkę wodę z dzbanka, tak żeby strumień wody chlustał na ścianę – wyjaśniła. – Potem woda będzie spływała z góry na chleb, który spełni rolę gąbki. Co jakiś czas będziemy wyżymać do dzbanka nasączony chleb i uzupełniać zapas wody.

– Ale w jakim celu? – zdziwił się Klaus.

– Mury tego więzienia są z cegły – odparła Wioletka. – Z cegły spojonej zaprawą murarską. Zaprawa murarska to rodzaj gliny, która twardnieje zasychając, jak klej. Rozpuszczalnik wypłucze zaprawę, rozluźni cegły i pozwoli nam uciec z celi. Mam wrażenie, że zdołamy wypłukać zaprawę polewając mur wodą z dzbanka.

– Jakim cudem? – spytał Klaus. – Mur jest bardzo solidny, a woda delikatna.

– Woda to jedna z najpotężniejszych sił na ziemi – rzekła Wioletka. – Fale oceanu żłobią nawet największe skały.

– Donaks! – pisnęło Słoneczko, komunikując coś w sensie: „No tak, ale to trwa setki lat, a my mamy czas tylko do jutra popołudnia, bo potem spalą nas na stosie".

– Więc nie gadajmy, tylko zajmijmy się problemem i zacznijmy polewać mur wodą – zarządziła Wioletka. – Trzeba będzie pracować całą noc, żeby wypłukać zaprawę. Klaus, ty stań obok mnie i lej wodę. A ty, Słoneczko, pilnuj chleba i przynoś go za każdym razem, gdy dobrze nasiąknie. Gotowi?

Klaus podniósł dzbanek i przytknął jego dzióbek do szczytu nachylonej ławki. Słoneczko podczołgało się do chleba, który był tylko odrobinę krótszy niż ono samo.

– Gotowi! – odkrzyknęli unisono, po czym cała trójka zaczęła wcielać w życie plan Wioletki. Strumień wody spływał po ławce, trafiał w ścianę, spływał po niej i wsiąkał w gąbczasty chleb.

Słoneczko co pewien czas przynosiło szybciutko chleb Klausowi, który wyżymał go do dzbanka, i cały proces zaczynał się od nowa. Z początku wydawało się, że to znów syzyfowa praca, bo woda czyniła mniej więcej tyle szkody murowi więzienia, ile jedwabna chusteczka uczyniłaby szarżującemu nosorożcowi, ale po dłuższej chwili okazało się, że woda – w przeciwieństwie do jedwabnej chusteczki – jest rzeczywiście jedną z najpotężniejszych sił na ziemi. Zanim Baudelaire'owie usłyszeli zza okna łopot skrzydeł kruków przelatujących ponad miastem na wieczorne siedziby, zaprawa między cegłami muru wyraźnie rozmiękła, a zanim pierwsze promienie słońca wpadły do celi przez zakratowane okienko, znaczna część zaprawy w miejscu działania wody była już wypłukana.

– Grespo – sapnęło Słoneczko, komunikując coś w sensie: „Znaczna część zaprawy w miejscu działania wody została już wypłukana".

– Dobra wiadomość – ucieszył się Klaus. – Jeżeli twój wynalazek, Wioletko, ocali nam życie, będzie to najpiękniejszy prezent urodzinowy, jaki mi kiedykolwiek dałaś, lepszy nawet od tomiku fińskiej poezji, który dostałem od ciebie na ósme urodziny.

Wioletka ziewnęła.

– Skoro już mowa o poezji, może wrócilibyśmy do tematu kupletów Izadory? – zaproponowała. – Wciąż nie wiemy, gdzie ukrywane są trojaczki Bagienne, a poza tym, gdy będziemy rozmawiać, mniej będzie nam się chciało spać.

– Dobra myśl – pochwalił Klaus i wyrecytował wszystkie trzy kuplety z pamięci:

Fałszywiec dla szafirów nas tu niecnie schował.
Obyście nas zdołali w porę uratować.

Nam milczeć trzeba do świtu jak grób.
Teraz nic wam nie powie ten żałosny dziób.

A w tym, co pierwsze, sekret cały:
Najwięcej mówią do was inicjały.

Wsłuchując się raz jeszcze w tajemnicze wiersze, Baudelaire'owie postanowili intensywnie zająć się kwestią ich znaczenia. Wioletka dalej podtrzymywała nachyloną ławkę, ale rozmyślała przy tym o pierwszym wersie pierwszego kupletu. Zaciekawiło ją, czemu Izadora pisze: „Fałszywiec dla szafirów nas tu niecnie schował", skoro wie, że sieroty Baudelaire wiedzą doskonale, iż Bagienni są dziedzicami szafirowej fortuny. Klaus lał wodę z dzbanka po ławce na ścianę, lecz rozmyślał o wersie: „A w tym, co pierwsze, sekret cały". Ciekawiło go, co właściwie Izadora rozumie przez „sekret". Słoneczko pilnowało chleba, który co chwila nasiąkał wodą, lecz cały czas rozmyślało o ostatniej linijce ostatniego kupletu, czyli o znaczeniu zdania: „Najwięcej mówią do was inicjały". Cała trójka aż do białego rana wcielała w życie ratunkowy plan Wioletki, dyskutując przy tym zawzięcie o wierszach Izadory, lecz chociaż poczynili wielkie postępy w wypłukiwaniu zaprawy murarskiej ze ściany celi, to w odczytaniu poezji Izadory nie zdołali posunąć się ani o krok.

– Woda istotnie jest jedną z najpotężniejszych sił na ziemi – przyznała Wioletka, kiedy za oknem rozległ się szum kruków przelatujących do centrum WZS. – Ale nie ma nic bardziej męczącego od poezji. Tyle godzin rozmawiamy o tych kupletach, a wciąż nie wiemy, gdzie są ukryci Bagienni.

– Potrzeba nam jeszcze jednego deus ex machina – zawyrokował Klaus. – O ile szybko nie zjawi się jakaś pomoc, nie uratujemy przyjaciół, nawet jeśli sami wydostaniemy się z więzienia.

– Psst! – syknął zza okna cichy głos, a dzieci tak się wzdrygnęły ze strachu, że omal nie powypuszczały wszystkiego z rąk i nie popsuły sobie całonocnej roboty. W porę jednak oprzytomniały, spojrzały w górę i przez kraty okienka ujrzały niewyraźnie czyjąś twarz. – Psst! Baudelaire'owie! – powtórzył ten sam głos.

– Kto tam? – odszepnęła Wioletka. – Nie widzimy pana!

– To ja, Hektor – szepnął Hektor. – Powinienem pracować teraz na przedmieściu, ale wymknąłem się i przyszedłem do was.

– Możesz nas stąd wydostać? – spytał szeptem Klaus.

Przez parę sekund dzieci nie słyszały nic, tylko hałas kruków, pluskających się z głośnym krakaniem w Ptasiej Fontannie. Wreszcie dobiegło je westchnienie Hektora.

– Nie – odparł smutno Hektor. – Jedyny klucz do więzienia ma Oficer Lucjana, a mury są solidne. Nie widzę sposobu na wydostanie was stąd.

– Dala? – spytało Słoneczko.

– Moja siostra pyta – przetłumaczył Klaus – czy powiadomiłeś Radę Starszych, że byliśmy z tobą całą noc, podczas której zamordowano Jacques'a, więc nie mogliśmy popełnić tej zbrodni?

Znów nastąpiła pauza.

– Nie – odparł z ociąganiem Hektor. – Wiecie, że Rada Starszych napędza mi pietra i zapominam przed nią języka w gębie. Chciałem przemówić w waszej obronie od razu po oskarżeniu Detektywa Dupina, ale jeden rzut oka na te krucze kapelusze odebrał mi mowę. Wymyśliłem jednak inną formę pomocy.

Klaus odstawił dzbanek i zbadał twardość zaprawy w murze. Wynalazek Wioletki działał naprawdę nieźle, ale wciąż nie było gwarancji, że pozwoli im uciec, zanim gniewny tłum obywateli WZS ściągnie po południu na egzekucję.

– A można wiedzieć jaką? – spytał Hektora.

– Przygotuję do lotu mój samowystarczalny balonowy dom – odparł Hektor. – Będę w nim czekał w stodole całe popołudnie. Jeżeli uda wam się jakimś cudem uciec z więzienia, możecie lecieć ze mną.

– W porządku – powiedziała Wioletka, chociaż spodziewała się lepszej pomocy od dorosłego mężczyzny. – Właśnie próbujemy się stąd wydostać, więc może zdążymy.

– Jeżeli próbujecie uciec z więzienia, to ja lepiej stąd pójdę – stropił się Hektor. – Nie chcę się wpakować w kłopoty. Chciałem wam jeszcze tylko powiedzieć, że gdybyście jednak nie uciekli i spłonęli na stosie, to pamiętajcie, że bardzo mi było miło was poznać. A, jeszcze coś, byłbym zapomniał!

Hektor wrzucił przez kraty do celi Baudelaire'ów mały zwitek papieru.

– Jeszcze jeden kuplet – powiedział. – Dla mnie nie ma za grosz sensu, ale może wam się na coś przyda. No to cześć, dzieciaki, do widzenia, mam nadzieję.

– Do widzenia, Hektorze – odparła ponuro Wioletka. – Ja też mam taką nadzieję.

– Baj! – mruknęło Słoneczko.

Hektor odczekał jeszcze chwilę, mając nadzieję, że i Klaus powie mu do widzenia, ale nie doczekawszy się odszedł bez słowa, a odgłos jego kroków zaraz zginął w hałasie kąpiących się kruków. Wioletka i Słoneczko odwróciły się do brata, trochę zdziwione, że nie powiedział Hektorowi do widzenia, chociaż i dla nich odwiedziny Hektora były tak wielkim rozczarowaniem, że w gruncie rzeczy rozumiały irytację Klausa. Tylko że Klaus wcale nie wyglądał na zirytowanego. Wprost przeciwnie: wpatrywał się w najnowszy kuplet Izadory i w coraz jaśniejszym świetle dnia zza krat widać było, że uśmiecha się radośnie od ucha do ucha. Uśmiech od ucha do ucha zdarza się osobom rozbawionym dobrą lekturą albo tym, że ktoś w ich obecności oblał się lemoniadą. Ale w celi więziennej Baudelaire'ów nie było żadnych lektur ani też nikt się niczym nie oblał, bowiem wszyscy troje dbali pilnie o każdą kroplę wody w dzbanku, który zawierał ich rozpuszczalnik do zaprawy murarskiej. Siostry Baudelaire nabrały więc pewności, że ich brat uśmiecha się od ucha do ucha z całkiem innego powodu.

Uśmiechał się, ponieważ zajęło go bez reszty rozwiązanie pewnego problemu, a mianowicie problemu czterech kupletów, które właśnie trzymał w ręce. Kiedy pokazał siostrom wszystkie cztery wiersze razem, również Wioletka i Słoneczko ujrzały nagle jak na dłoni rozwiązanie sprawy, którą się od tak dawna bez skutku zajmowały.

Na wielkie patrz litery, tak długo, jak chcesz,
A ujrzysz swych przyjaciół oraz WZS.

– Czy to nie cudowne? – uradował się Klaus, odczytawszy czwarty kuplet. – Czy to nie absolutnie ekstraordynaryjne?

– Wibon – odparło Słoneczko, komunikując: „Raczej ekstrakonfundujące niż ekstraordynaryjne: wciąż nie wiemy, gdzie przebywają Bagienni".

– Owszem, wiemy – zaprzeczył Klaus, wyciągając z kieszeni pozostałe kuplety. –

Wyrecytuj sobie te wiersze w kolejności, a sama zgadniesz, o co w nich chodzi.

Fałszywiec dla szafirów nas tu niecnie schował.
Obyście nas zdołali w porę uratować.

Nam milczeć trzeba do świtu jak grób.
Teraz nic wam nie powie ten żałosny dziób.

A w tym, co pierwsze, sekret cały:
Najwięcej mówią do was inicjały

Na wielkie patrz litery, tak długo, jak chcesz,
A ujrzysz swych przyjaciół oraz WZS.

– Zdaje mi się, że ty, Klausie, znacznie lepiej ode mnie analizujesz poezje – powiedziała Wioletka, a Słoneczko potwierdziło jej zdanie skinieniem główki. – Dla mnie ten wiersz jest teraz równie niejasny, jak przedtem.

– Naprawdę? A przecież to ty pierwsza wpadłaś na rozwiązanie zagadki – odparł Klaus. –

Kiedy dostaliśmy trzeci kuplet, powiedziałaś, że inicjały oznaczają pierwsze litery słów, na przykład WZS.

– Ty jednak byłeś zdania, że w wierszach Izadory chodzi o coś innego – przypomniała sobie Wioletka.

– Pomyliłem się – przyznał Klaus. – I jeszcze nigdy w życiu nie cieszyłem się tak bardzo z własnej pomyłki. Oczywiście, że chodzi o inicjały! Zrozumiałem to dopiero, gdy przeczytałem w ostatnim kuplecie: „Na wielkie patrz litery". Izadora ukryła w wierszu nazwę miejsca swojego pobytu, dokładnie tak, jak swego czasu Ciotka Józefina w pożegnalnym liście, pamiętasz?

– Jasne, że pamiętam, ale nadal nic nie rozumiem – odparła Wioletka.

– „A w tym, co pierwsze, sekret cały" – wyrecytował Klaus. – Nam się zdawało, że Izadora ma na myśli pierwszy kuplet, a jej chodziło o pierwsze litery. Nie mogła powiadomić nas wprost, gdzie są ukryci, bo przecież list przenoszony przez kruka mógł się dostać w niepowołane ręce, zanim trafił do nas. Dlatego musiała posłużyć się szyfrem. Gdy zestawimy pierwsze litery wszystkich kolejnych wersów, otrzymamy nazwę miejsca ukrycia Bagiennych.

– „Fałszywiec dla szafirów nas tu niecnie schował". Zaczyna się na F – rzekła Wioletka. – „Obyście nas zdołali w porę uratować". Druga litera O.

– „Nam milczeć trzeba do świtu jak grób" – podjął Klaus. – Trzecia N. „Teraz nic wam nie powie ten żałosny dziób". Czwarta T.

– „A w tym, co pierwsze, sekret cały". Piąta A! – rozemocjonowała się Wioletka. – Najwięcej mówią do was inicjały". Szósta N!

– NA! – pisnęło triumfalnie Słoneczko, i cała trójka gromkim chórem wykrzyczała rozwiązanie zagadki:

– FONTANNA!

– Ptasia Fontanna! – uściślił Klaus. – Bagienni znajdują się naprzeciwko naszego okna!

– Ale jak oni mogą siedzieć w fontannie? – stropiła się Wioletka. – I jakim sposobem Izadora podaje swoje wiersze krukom?

– Na te pytania też znajdziemy odpowiedź, tylko najpierw musimy wydostać się z więzienia – powiedział Klaus. – Bierzmy się lepiej z powrotem do roboty, zanim wróci Detektyw Dupin.

– Z rozjuszonymi mieszkańcami, którzy chcą nas spalić na stosie, bo rządzi nimi psychologia tłumu – wzdrygnęła się Wioletka.

Słoneczko podczołgało się do leżącego na posadzce bochenka chleba i przytknęło małą łapkę do ściany celi.

– Ciap! – pisnęło, komunikując coś w sensie: „Zaprawa już prawie całkiem rozmiękła, jeszcze chwila roboty i będzie po wszystkim".

Wioletka rozwiązała wstążkę i zaraz zawiązała ją z powrotem: robiła tak zawsze, gdy musiała przemyśleć problem od nowa, jeszcze staranniej niż za pierwszym razem.

– Muszę przemyśleć ten problem od nowa – powiedziała. – Ale zdaje mi się, niestety – dodała, wyglądając przez okienko – że nie zostało nam już ani chwili. Spójrzcie, jakie jasne jest niebo. Pora śniadania pewnie się już kończy.

– Więc do roboty! – ponaglił siostry Klaus.

– Nie, nie – powstrzymała go Wioletka. – Trzeba się zastanowić. Na przykład nad tą ławką. Możemy przecież użyć jej inaczej, nie tylko jako rampy. Również jako taranu.

– Tran? – upewniło się Słoneczko.

– Nie tran, a taran: kloc drewniany lub metalowy, służący do rozbijania bram i murów – wyjaśniła Wioletka. – Średniowieczni rycerze posługiwali się taranem przy zdobywaniu warownych twierdz, a my posłużymy się nim w celu umożliwienia sobie ucieczki z więzienia.

Wioletka podniosła jeden koniec ławki i oparła go sobie o ramię.

– Ławkę należy trzymać jak najbardziej poziomo – objaśniała dalej. – Słoneczko, wejdź Klausowi na ramiona. Kiedy uniesiesz drugi koniec, będziemy mieli całkiem niezły taran.

Klaus i Słoneczko zastosowali się do instrukcji Wioletki i już po chwili cała trójka gotowa była do wypróbowania nowego wynalazku najstarszej przedstawicielki rodzeństwa Baudelaire'ów. Wioletka i Słoneczko trzymały mocno brzegi ławki, a Klaus trzymał mocno Słoneczko, żeby nie spadło na posadzkę Luksusowej Celi podczas walenia w mur taranem.

– Uwaga! – zarządziła Wioletka. – Cofnijmy się pod tylną ścianę. Kiedy powiem raz-dwa-trzy, rozpędzamy się i walimy taranem w mur, celując w to miejsce, gdzie zaprawa rozmiękła. Gotowi? Raz, dwa, trzy!

Buch! Baudelaire'owie z całej siły zaatakowali ławką mur więzienia. Huk był tak donośny, że przez chwilę zdawało się, że całe więzienie legnie w gruzach, a jednak w murze powstało tylko nieduże pęknięcie.

– Jeszcze raz! – zakomenderowała Wioletka. – Raz, dwa, trzy!

Buch! Zza okna dobiegł dzieci szum skrzydeł kruków, które spłoszone zerwały się do lotu. Parę następnych cegieł w murze ucierpiało przy drugim uderzeniu, a jedna nawet pękła całkiem na pół.

– Udało się! – zatriumfował Klaus. – Taran działa!

– Raz, dwa, minga! – pisnęło entuzjastycznie Słoneczko, i taran po raz trzeci zaatakował ścianę celi.

– Au! – jęknął Klaus i omal nie spuścił siostrzyczki z ramion. – Cegła spadła mi na nogę!

– Hura! – zawołała Wioletka. – Nie z powodu twojej nogi, oczywiście, ale skoro cegły wypadają z muru, to znaczy, że mur znacznie osłabł. Odstawmy na chwilę taran i przypatrzmy się.

– Nie musimy się przypatrywać – powiedział Klaus. – Przekonamy się, że odnieśliśmy sukces, gdy ujrzymy przez szparę Ptasią Fontannę. Raz, dwa, trzy!

Buch! Kilka następnych cegieł spadło z hukiem na zaświnioną posadzkę Luksusowej Celi. Jednocześnie zza okna rozległ się inny odgłos, dobrze dzieciom znany. Zrazu usłyszały go jako lekki szum, który szybko narastał, jakby tłum czytelników przewracał miliony kartek w książkach. To kruki WZS kołowały nad więzieniem przed powrotem na popołudniowe stanowiska. Był to znak, że Baudelaire'om zostało naprawdę mało czasu.

– Huro! – zakrzyknęło z desperacją Słoneczko, i jak najgłośniej zakomenderowało: – Raz! Dwa! Minga!

Na słowo „Minga!", które znaczyło oczywiście coś w sensie „Trzy!", dzieci zaatakowały taranem ścianę Luksusowej Celi z najgłośniejszym jak dotąd hukiem, któremu niestety towarzyszył donośny trzask pękającego na pół wynalazku. Wioletkę zarzuciło na jedną stronę celi, Klausa ze Słoneczkiem na drugą, a każdej z sióstr została w rękach połowa ławki. Mur w miejscu ostatniego uderzenia taranem zasłaniała wielka chmura kurzu.

Wielka chmura kurzu nie jest na ogół najprzyjemniejszym widokiem. Bardzo niewielu malarzy pokusiło się o uwiecznienie na płótnie wielkich chmur kurzu, czy to w pejzażu, czy w martwej naturze. Niewielu reżyserów filmowych obsadzało jak dotąd wielkie chmury kurzu w głównych rolach swoich filmów miłosnych, a z przeprowadzonych przeze mnie badań wynika, że wielka chmura kurzu nigdy jeszcze nie zajęła w konkursie piękności miejsca wyższego niż dwudzieste piąte. Lecz sieroty Baudelaire, które właśnie wypuszczały z rąk swoje połówki pękniętego tarana, zasłuchane w furkot krążących nad więzieniem kruków, wpatrywały się w wielką chmurę kurzu jak w coś nadzwyczajnie pięknego, ponieważ ta akurat wielka chmura kurzu składała się z odłamków cegły, zaprawy i innych materiałów murarskich niezbędnych do wzniesienia muru, a Baudelaire'owie wiedzieli, że oglądają ją dzięki skutecznemu wynalazkowi Wioletki. Gdy wielka chmura kurzu osiadła wreszcie na posadzce celi, pokrywając ją jeszcze większym brudem, dzieci rozejrzały się dookoła z radosnym uśmiechem, gdyż zobaczyły jeszcze jeden piękny widok: wielką, ziejącą dziurę w murze Luksusowej Celi, idealną wprost do błyskawicznej ucieczki.

– Udało się! – krzyknęła Wioletka i przeszła przez wielką dziurę w murze prosto na dziedziniec. Spojrzała w niebo, gdzie znikały właśnie ostatnie kruki przelatujące do swoich miejsc na peryferiach WZS. – Uciekliśmy z więzienia!

Klaus, który nadal trzymał Słoneczko na ramionach, zatrzymał się i przetarł okulary, zanim też wyszedł przez dziurę z celi i minął Wioletkę, kierując się ku Ptasiej Fontannie.

– Nie mów hop, póki nie przeskoczysz – poradził ostrożnie. – Jeszcze masa kłopotów czyha na horyzoncie. – To mówiąc, wskazał na niebo i daleką smugę odlatujących kruków. – Kruki już odleciały na peryferie. Za chwilę zjawią się tutaj obywatele WZS.

– Więc mamy tylko chwilę na uwolnienie Bagiennych z fontanny? To niemożliwe! – zmartwiła się Wioletka.

– Łok! – krzyknęło Słoneczko z wysokości ramion Klausa, komunikując coś w sensie: „Fontanna wygląda wyjątkowo solidnie”. Brat i siostra pokiwali głowami, przyznając Słoneczku rację. Ptasia Fontanna wyglądała na niedostępną – co tutaj znaczy: „odporną na włamania i próby wydostania z niej porwanych trojaczków” – równie niedostępną, co paskudną. Metalowy kruk tkwił na niej jak słup, plując po sobie wodą z dzioba, jakby sam pomysł uratowania Bagiennych przez Baudelaire'ów przyprawiał go o mdłości.

– Duncan i Izadora na pewno siedzą zamknięci w tej fontannie – powiedział Klaus. – Może jest tu gdzieś mechanizm otwierający sekretne wejście.

– Przecież czyściliśmy każdy cal kwadratowy tej fontanny w ramach popołudniowych obowiązków – przypomniała mu Wioletka. – Zauważylibyśmy sekretny mechanizm, szorując rzeźbione piórko po piórku.

– Dzidu! – dodało Słoneczko, komunikując coś w sensie: „Izadora na pewno podpowiada nam w swoich wierszach, jak mamy ją uratować!".

Klaus postawił siostrzyczkę na ziemi i wyciągnął z kieszeni cztery zwitki papieru.

– Trzeba to jeszcze raz przemyśleć – zdecydował, rozkładając karteczki na ziemi. – Musimy jak najstaranniej przeanalizować wszystkie cztery kuplety. Na pewno jest tam jakaś ukryta wskazówka, jak dostać się do wnętrza fontanny.

Fałszywiec dla szafirów nas tu niecnie schował.
Obyście nas zdołali w porę uratować.

Nam milczeć trzeba do świtu jak grób.
Teraz nic wam nie powie ten żałosny dziób.

A w tym, co pierwsze, sekret cały:
Najwięcej mówią do was inicjały

Na wielkie patrz litery, tak długo, jak chcesz,
A ujrzysz swych przyjaciół oraz WZS.

– „Ten żałosny dziób!" – wykrzyknęła Wioletka. – Zbyt pochopnie wyciągnęliśmy wniosek, że Izadorze chodzi tu o kruki WZS! Jej prawdopodobnie chodzi o kruka z Ptasiej Fontanny! Woda tryska mu z dzioba, więc w dziobie musi być otwór!

– Wespnijmy się na fontannę i sprawdźmy – powiedział Klaus. – Hej, Słoneczko, wskakuj mi z powrotem na ramiona, a ja stanę na ramionach Wioletki. Musimy się jak najbardziej podwyższyć, żeby zajrzeć krukowi do dzioba.

Wioletka kiwnęła głową i uklękła na cembrowinie fontanny. Klaus postawił Słoneczko na swoich ramionach, a sam wdrapał się na ramiona starszej siostry. Potem Wioletka bardzo ostrożnie wstała. Trójka Baudelaire'ów wyglądała teraz jak zespół akrobatów, który dzieci oglądały dawno temu w cyrku wraz z rodzicami. Zasadnicza różnica między ekipą Baudelaire'ów a ekipą akrobatów polegała jednak na tym, że akrobaci ćwiczą swoje figury nad siatkami bezpieczeństwa i miękkimi materacami, więc nawet jeśli popełnią błąd, nie zrobią sobie krzywdy – sieroty Baudelaire natomiast nie miały kiedy przećwiczyć budowania wieży, a brukowane ulice WZS w niczym nie przypominały poduszek. Ludzka wieża w wykonaniu rodzeństwa Baudelaire'ów chwiała się więc niemiłosiernie. Wioletka chwiała się pod ciężarem brata i siostrzyczki, Klaus chwiał się na niepewnej podstawie ramion chwiejącej się Wioletki, a biedne Słoneczko chwiało się na samej górze tak okropnie, że ledwo zdołało ustać na ramionach Klausa i zajrzeć w głąb plującego wodą dzioba. Wioletka cały czas obserwowała ulicę, uważając, czy nie nadchodzi ktoś z mieszkańców WZS, a Klaus patrzył na ziemię, gdzie leżały rozpostarte wiersze Izadory.

– Co tam widzisz, Słoneczko? – spytała Wioletka, dostrzegając z daleka kilka postaci zmierzających ku fontannie.

– Lipa! – zameldowało Słoneczko.

– Słyszysz, Klaus? – zmartwiła się Wioletka. – Dziób jest za wąski, żeby można się było dostać przez niego do fontanny. – Co robimy? – spytała z paniką w głosie, bo chwiała się na nogach coraz bardziej, aż zdawało jej się, że całe miasto się trzęsie.

– „Na wielkie patrz litery" – mruknął Klaus do siebie, tak jak to często robił, gdy rozmyślał o czymś niedawno przeczytanym. Odczytywanie z góry kupletów Izadory w tak chwiejnej pozycji, w jakiej w tej chwili się znajdował, wymagało nie lada koncentracji. – Dlaczego ona to tak dziwnie napisała? „Na wielkie patrz litery"...

– Siabisio! – pisnęło rozpaczliwie Słoneczko, chwiejąc się na czubku jak polny kwiatek targany wichurą. Spróbowało uchwycić się Ptasiej Fontanny, lecz spłukiwany wodą metal był za śliski.

Wioletka z całych sił starała się zachować postawę pionową, w czym nie pomagał jej bynajmniej widok dwóch postaci w kruczych kapeluszach, które właśnie wyłoniły się zza najbliższego rogu.

– Klaus! – rzekła cicho. – Nie chcę cię popędzać, ale czy mógłbyś przemyśliwać trochę szybciej? Nadchodzą obywatele WZS, a ja nie wiem, jak długo jeszcze tak wytrzymam.

– „Na wielkie patrz litery” – powtórzył Klaus, przymykając oczy, aby nie patrzeć na chwiejący się dokoła świat.

– Tuk! – pisnęło Słoneczko, lecz nikt go nie usłyszał, bo w tej samej chwili rozległ się rozpaczliwy wrzask Wioletki, której nogi odmówiły posłuszeństwa, co tutaj znaczy, że Wioletka runęła na ziemię, ścierając sobie kolano i strącając z ramion Klausa. Klausowi spadły okulary, a on sam wylądował na łokciach na twardym bruku, co jest wyjątkowo bolesnym lądowaniem, zwłaszcza gdy wiąże się z obtarciem łokci, co właśnie przydarzyło się Klausowi. Ale Klaus nie martwił się o swoje łokcie – martwił się o siostrzyczkę.

– Słoneczko! – zawołał, mrugając niedowidzącymi oczami bez okularów. – Słoneczko, gdzie jesteś?

– Heni! – pisnęło Słoneczko, wyjątkowo niezrozumiale, nawet jak na siebie.

Okazało się, że najmłodsza z Baudelaire'ów uczepiła się zębami kruczego dzioba, ale ponieważ z dzioba tryskała woda, Słoneczku groziło ześlizgnięcie się po metalowej powierzchni.

– Heni! – pisnęło raz jeszcze, gdy pierwszy jego ząb stracił oparcie.

Słoneczko zaczęło zjeżdżać z dzioba, desperacko szukając jakiegokolwiek oparcia – ale jedynym dodatkowym elementem na gładko rzeźbionym łbie kruka było wytrzeszczone oko, całkiem płaskie, o które nie dałoby się zaczepić zębem. Osuwające się coraz szybciej Słoneczko wolało zamknąć oczka niż oglądać własny tragiczny upadek.

– Heni! – pisnęło po raz trzeci i w odruchu rozpaczy wpiło wszystkie cztery zęby w oko kruka – a oko ustąpiło pod naciskiem. Ustępujemy najczęściej komuś miejsca w tramwaju, albo przeciwnikowi pola na placu boju, ale w tym przypadku zwrot „oko ustąpiło" znaczy, że Słoneczko wcisnęło sekretny guzik posągu fontanny. Nagle, z wielkim zgrzytem, dziób metalowego kruka rozwarł się na oścież, a potem powoli rozłożył się całkowicie na dwie strony, opuszczając bezpiecznie Słoneczko na ziemię, wprost w otwarte ramiona Wioletki. Sieroty Baudelaire popatrzyły po sobie z wielką ulgą, ale zaraz przeniosły wzrok na rozwarty dziób Ptasiej Fontanny. W kaskadach wody ukazały się dwie pary rąk, a za nimi dwie postacie ludzkie. Obie w grubych wełnianych swetrach, tak ciemnych i ciężkich od wilgoci, że ubrane w nie osoby przypominały wielkie, nieforemne potwory. Potwory wygramoliły się ostrożnie z kruczej gardzieli i zsunęły się na ziemię, a Baudelaire'owie pospieszyli je uściskać.

Nie muszę wam mówić, jak wielka była radość sierot Baudelaire z odnalezienia Duncana i Izadory Bagiennych, którzy stali oto drżąc z zimna na centralnym placu WZS, ani jak wielka była wdzięczność Bagiennych wobec ratowników, którzy uwolnili ich z Ptasiej Fontanny. Nie muszę wam mówić, jak szczęśliwa była cała piątka, że oto znów się widzi po tak długim czasie, ani jak dziękowały trojaczki Bagienne sierotom Baudelaire, ściągając grube swetry i wyżymając z nich wodę na bruk. Są jednak rzeczy, które muszę wam powiedzieć, a jedną z tych rzeczy jest pojawienie się w oddali Detektywa Dupina, który z pochodnią w dłoni zmierzał wprost ku sierotom Baudelaire.

ROZDZIAŁ
Dwunasty

Jeżeli doczytaliście do tego miejsca, to dalej nie czytajcie. Wystarczy, że cofniecie się o krok od książki, którą macie w rękach, a sami zobaczycie, jak niewiele z naszej ponurej historii zostało do opowiedzenia, gdybyście jednak wiedzieli, ile smutków i cierpień kryją jej ostatnie stronice, cofnęlibyście się natychmiast jeszcze o krok, i jeszcze, i jeszcze, aż wycofalibyście się bezpiecznie do miejsca, skąd wredna wioska wydaje się tak mała, jak postać Detektywa Dupina, który pojawił się na horyzoncie w chwili, gdy Baudelaire'owie radowali się odzyskaniem dawno utraconych przyjaciół. Szkoda, że sieroty Baudelaire nie przestały się w porę radować, ale ja, niestety, nie mogę cofnąć się w czasie i uprzedzić ich, że to, czego doświadczają oto przy Ptasiej Fontannie, to ostatni zryw radości, jaki czeka je w najbliższym i bardzo długim czasie. Mogę jednak uprzedzić o tym was. Wy bowiem, w przeciwieństwie do sierot Baudelaire i trojaczków Bagiennych, a także do mnie i do mojej drogiej nieodżałowanej przyjaciółki Beatrycze, możecie w każdej chwili przerwać tę przygnębiającą powieść, zamknąć książkę i sprawdzić sobie dla odmiany, jak kończy się bajeczka pod tytułem *Najmniejszy Elf*.

– Nie możemy tu zostać – oprzytomniała Wioletka. – Nie chcę psuć nastroju powitania, ale jest już popołudnie i właśnie nadchodzi Detektyw Dupin, o, tamtą ulicą.

Pięcioro dzieci spojrzało w kierunku wskazanym przez Wioletkę i rzeczywiście: w dali widniała turkusowa plamka nadciągającej marynarki Dupina oraz świetlisty czubek jego płonącej pochodni.

– Myślicie, że nas zauważył? – spytał Klaus.

– Nie wiem – odparła Wioletka – ale nie cze-
kajmy, aby się o tym przekonać. Tłum obywateli WZS rozeźli się jeszcze bardziej, gdy odkryje,
że uciekliśmy z więzienia.

– Detektyw Dupin to ostatnie wcielenie Hrabiego Olafa – wyjaśnił Klaus Bagiennym. – On
teraz...

– Wiemy wszystko o Detektywie Dupinie –
przerwał mu Duncan – a także o tym, co się z wami działo.

– Przebieg wczorajszych zdarzeń słyszeliśmy
dokładnie z wnętrza fontanny – dodała Izadora. – Już pierwszego dnia, gdy poznaliśmy, że to
wy szorujecie fontannę, próbowaliśmy narobić
jak najwięcej hałasu, ale i tak nie dotarł on do
waszych uszu przez szum wody.

Duncan wycisnął sporą kałużę z lewego ręka-
wa swetra. Następnie sięgnął pod koszulę i wy-
dobył ciemnozielony notes.

– Staraliśmy się nie dopuścić do zamoczenia
notesów – powiedział. – Są w nich bowiem zawarte informacje najwyższej wagi.

– Wiemy wszystko o WZS – dodała Izadora, wyciągając swój notes, w okładce czarnej jak smoła. – Prawdziwe WZS to nie jest Wioska Zakrakanych Skrzydlaków.

Duncan otworzył swój notes i pochuchał na zawilgocone kartki.

– Znamy też całą historię Jacq...

Przerwał mu histeryczny wrzask. Cała piątka dzieci odwróciła się i ujrzała dwóch Radnych Starszych wpatrzonych ze zgrozą w dziurę w murze więzienia. Baudelaire'owie i Bagienni natychmiast dali nura za fontannę, żeby nie było ich widać.

Jeden z dwóch Radnych Starszych wrzasnął ponownie, po czym zdjął kruczy kapelusz i otarł czoło jednorazową chusteczką.

– Uciekli! – krzyknął. – Prawo numer 1742 stanowi wyraźnie, że nikomu nie wolno uciekać z więzienia. Jak oni śmieli złamać takie ważne prawo!

– Można się było tego spodziewać po morderczyni i dwojgu wspólnikach – burknął drugi

Radny. – A widzi pan, co jeszcze zrobili? Zniszczyli Ptasią Fontannę! Dziób jest całkiem rozłamany! Nasza piękna fontanna w ruinie!

– Te trzy sieroty to najgorsi zbrodniarze w historii ludzkości – stwierdził pierwszy Radny. – O, na szczęście nadchodzi Detektyw Dupin. Powiedzmy mu, co tu się stało. Może domyśli się, gdzie szukać zbiegów.

– Niech pan mu sam powie – rzekł drugi Radny – a ja tymczasem polecę zadzwonić do „Dziennika Punctilio". Może zamieszczą moje nazwisko w gazecie.

Obaj Radni Starsi pospieszyli ze straszną wieścią, każdy w swoją stronę, a dzieci odetchnęły z ulgą.

– Włos – powiedziało Słoneczko.

– Rzeczywiście, mało brakowało, niebezpieczeństwo było o włos – przyznał Klaus. – A już za chwilę całe miasto zacznie nas szukać.

– Ale nie nas! – wtrącił Duncan. – Izadora i ja pójdziemy przodem i zasłonimy was przed oczami tłumu.

– Ale dokąd pójdziemy? – spytała Izadora. – Ta wredna wioska leży na zupełnym odludziu.

– Pomogłam Hektorowi uruchomić samowystarczalny balonowy dom – rzekła Wioletka – a on obiecał, że na nas poczeka. Musimy tylko przedostać się na peryferie WZS, a stamtąd uciekniemy z Hektorem.

– I do końca życia będziemy bujać w obłokach? – skrzywił się Klaus.

– Może nie do końca życia – pocieszyła go Wioletka.

– Scylla! – mruknęło Słoneczko, komunikując: „Mamy do wyboru: albo samowystarczalny balonowy dom, albo spalenie na stosie".

– Skoro tak stawiasz sprawę – powiedział Klaus – to nie mam wątpliwości.

Wszyscy zaakceptowali więc plan działania. Wioletka rozejrzała się po placu, sprawdzając, czy nikt nie nadchodzi.

– Na takim płaskim terenie – powiedziała – widać nadchodzące osoby z bardzo daleka. Wykorzystamy to teraz na swoją korzyść. Pójdziemy tylko pustymi ulicami, a na widok pierwszej osoby na horyzoncie będziemy skręcać za najbliższy róg. To na pewno nie będzie droga prosta jak kruk przeleciał, ale w końcu jakoś dobrniemy do Drzewa Nigdyjuż.

– Skoro mowa o krukach – zwrócił się Klaus do dwojga trojaczków – to zdradźcie, proszę, jakim sposobem dostarczaliście nam kuplety za pośrednictwem kruków? I skąd wiedzieliście, że wiersze do nas dotrą?

– Ruszajmy lepiej. Opowiem ci po drodze – rzekła przytomnie Izadora.

Pięcioro dzieci ruszyło w drogę. Bagienni szli na przedzie i zaglądali po kolei we wszystkie uliczki, aż wypatrzyli taką, na której nikogo nie było. Poszli wszyscy tamtędy, opuszczając plac.

– Olaf, z pomocą Esmeraldy Szpetnej, przeszmuglował nas w obiekcie zakupionym na Aukcji Rzeczy Modnych – zaczął opowieść Duncan, nawiązując do ostatniego spotkania Bagiennych z Baudelaire'ami. – Przez pewien czas trzymał nas w wieży swojego okropnego domu.

Wioletka zadrżała.

– Zdążyłam już zapomnieć o tym domu. Nie chce się wierzyć, że i my mieszkaliśmy kiedyś u tego łotra.

Klaus wskazał nadchodzącą z oddali postać, więc cała piątka skręciła w najbliższą pustą uliczkę.

– Ta ulica nie prowadzi do domu Hektora – powiedział – ale spróbujemy za jakiś czas zawrócić inną. Mów dalej, Duncanie.

– Olaf dowiedział się, że we troje macie zamieszkać u Hektora na peryferiach WZS – ciągnął Duncan. – Wówczas wraz ze swoimi wspólnikami zbudował Ptasią Fontannę.

– A nas ukrył w jej wnętrzu – dodała Izadora. – Zainstalował fontannę na placu głównym, żeby mieć nas na oku w czasie, gdy sam polował na was. Wiedzieliśmy, że tylko w was nadzieja ucieczki.

Zatrzymali się przed następnym rogiem, a Duncan wyjrzał ostrożnie za węgieł narożnego domu i po chwili dał ręką znak, że droga wolna.

– Chcieliśmy wam koniecznie dać znać – relacjonował dalej – ale baliśmy się, że wiadomość wpadnie w niepowołane ręce. W końcu Izadora wpadła na pomysł pisania kupletów, zdradzających inicjałami miejsce naszego pobytu.

– A Duncan – dodała Izadora – wpadł na pomysł, jak dostarczać kuplety do domu Hektora. Studiował swego czasu obyczaje migracyjne krukowatych, więc domyślił się, że kruki przelatują na noc na Drzewo Nigdyjuż – rosnące, jak wiadomo, tuż obok domu Hektora. Co rano ja pisałam jeden kuplet i oboje z Duncanem sięgaliśmy na zewnątrz przcz otwór w dziobie fontanny.

– Zawsze siedział tam jakiś kruk – ciągnął Duncan – więc owijaliśmy karteczką jego nogę. Papier od razu nasiąkał wodą z fontanny, więc łatwo przyklejał się do ptasiej nogi.

– *No i Duncan miał rację, jak się okazało:*
Do rana pismo wyschło i na dół spadało.

– wyrecytowała Izadora.

– Ryzykowny to był plan – stwierdziła Wioletka.

– Nie bardziej niż ucieczka z więzienia i uwolnienie nas z fontanny – zrewanżował jej się Duncan i spojrzał na Baudelaire'ów z wdzięcznością. – Uratowaliście nam życie. Po raz drugi.

– Nigdy byśmy was nie opuścili – zapewnił Klaus. – To w ogóle nie wchodziło w rachubę.

Izadora z uśmiechem pogłaskała dłoń Klausa.

– W czasie, gdy my usiłowaliśmy się z wami skontaktować – podjęła wątek – Olaf uknuł plan zagarnięcia waszej fortuny, a przy okazji pozbycia się dawnego wroga.

– Masz na myśli Jacques'a – domyśliła się Wioletka. – Kiedy spotkaliśmy go w Ratuszu, wyraźnie usiłował coś nam powiedzieć. Dlaczego on nosił taki sam tatuaż jak Olaf? Kto to był?

– Pełne jego nazwisko – odrzekł Duncan, kartkując notes – brzmi: Jacques Snicket.

– Gdzieś to już słyszałam – przypomniała sobie Wioletka.

– Wcale się nie dziwię – odparł Duncan. – Jacques Snicket to brat człowieka, który...

– Są tutaj! – rozległ się znienacka donośny krzyk, a dzieci uświadomiły sobie ze zgrozą, że przestały uważać, co się dzieje przed nimi, za nimi i obok.

Z przeciwka, w odległości najwyżej dwóch przecznic, maszerował w ich stronę pan Lesko z grupką obywateli zaopatrzonych w płonące pochodnie. Południe dawno już minęło, więc pochodnie rzucały przed maszerującymi długie cienie i cała grupa wyglądała tak, jakby ją prowadziły długie, czarne, wijące się żmije, a nie krępy osobnik w kraciastych spodniach.

– Tu są sieroty! – krzyknął triumfalnie pan Lesko. – Za nimi, obywatele!

– A ci dwoje to co za jedni? – zaciekawił się ktoś z Rady Starszych.

– Czy to nie wszystko jedno? – krzyknęła w odpowiedzi pani Jutrzejsza, bojowo wymachując pochodnią. – Na pewno też wspólnicy! Niech i oni spłoną na stosie!

– Czemu nie – zgodził się bez wahania jakiś inny Radny. – Pochodnie mamy w końcu gotowe, a ja nie mam na dzisiaj żadnych innych planów.

Pan Lesko zatrzymał się na rogu i zajrzał w głąb uliczki, której dzieci ze swego miejsca nie widziały.

– Hej tam! – zawołał gromko. – Wszyscy do mnie! Są tutaj!

Piątka dzieci stała jak wryta i gapiła się na obywateli z pochodniami. Pierwsze oprzytomniało Słoneczko.

– Lililik! – pisnęło i ruszyło pędem na czworakach w odwrotną stronę.

Wołając „Lililik!", Słoneczko komunikowało coś w sensie: „Uciekajmy! Nie oglądajcie się! Spróbujmy się przedostać do samowystarczalnego balonowego domu Hektora, zanim ten tłum dopadnie nas i spali na stosie!". Reszcie dzieci w tej chwili nie trzeba już było żadnej zachęty. Pognały na łeb na szyję za Słoneczkiem, nie oglądając się na tupot i wrzaski za plecami, które nasilały się, w miarę jak do kolejnych obywateli WZS docierała wiadomość o ucieczce więź-

niów. Dzieci pędziły wąskimi zaułkami i głów-
nymi ulicami, przez parki i przez mosty, cały
czas stąpając po kruczych piórach, którymi usia-
ne było WZS. Od czasu do czasu musiały rejte-
rować, co tutaj znaczy: „robić w tył zwrot i zmy-
kać z powrotem na widok obywateli WZS".
Nieraz też przyszło im kryć się po bramach lub
za krzakami i czekać, aż rozwścieczony tłum
przebiegnie obok – zupełnie jakby bawili się
z mieszkańcami WZS w chowanego, a nie wal-
czyli zaciekle o własne życie. Popołudnie mijało,
cienie na ulicach WZS wydłużały się, a chodni-
ki miasteczka wciąż dudniły echem licznych
kroków i okrzyków, we wszystkich oknach zaś
odbijały się płomienie pochodni, wzniesionych
w dłoniach obywateli. Piątka dzieci dotarła
wreszcie na peryferie WZS i ujrzała przed sobą
płaski jak deska krajobraz. Baudelaire'owie rozglądali się desperacko za jakimkolwiek śladem
pana złotej rączki i jego wynalazku, ale na horyzoncie rysowały się tylko sylwetki domu Hektora, stodoły i Drzewa Nigdyjuż.

– Gdzie Hektor? – spłoszyła się Izadora.

– Nie wiem – odparła Wioletka. – Obiecywał, że poczeka pod stodołą, ale go tam nie widzę.

– Dokąd teraz możemy pójść? – zmartwił się Duncan. – Tu się nie ma gdzie schować. Obywatele WZS znajdą nas w sekundę.

– Wpadliśmy w pułapkę – podsumował Klaus głosem schrypniętym od paniki.

– Wiro! – pisnęło Słoneczko, komunikując: „Biegnijmy, a jeśli o mnie chodzi – czołgajmy się co sił w nogach i rękach".

– Żadna siła nam nie pomoże – rzekła z rezygnacją Wioletka, wskazując za siebie. – Patrzcie.

Dzieci odwróciły się i ujrzały, że całe WZS, jak jeden mąż, maszeruje zwartym szykiem w ich kierunku. Obywatele skręcili właśnie za ostatni róg ostatniej ulicy i kierowali się ku piątce sierot. Dudnienie ich kroków przypominało odgłos nadciągającej burzy. Lecz widok masy rozwścieczonych i zajadłych obywateli przywodził raczej na myśl falujący łan zboża na polu. Monstrualny łan zboża, który w pięć sekund zdolny byłby zmieść z powierzchni ziemi całą kolekcję gadów Wujcia Monty'ego albo w sekundę wyssać całą wodę z Jeziora Łzawego. Nadciągający tłum przypominał łan zboża, przy którym nawet największe drzewo Przebrzmiałej Puszczy wyglądało jak zapałka, przy którym wielka lazania podawana w Szkole Powszechnej Imienia Prufrocka wydawała się niewinną przekąską, a drapacz chmur w Alei Ciemnej pod numerem 667 przypominał domek dla lalek, i to zrobiony specjalnie dla karzełków. Ten gigantyczny łan zboża zdobyłby pierwsze miejsce na każdej wystawie płodów rolnych, w dowolnym powiecie, województwie i kraju całego świata, teraz i na wieki. Nadciągający zwartym szykiem tłum z pochodniami, który zbliżał się oto do Wioletki, Klausa, Słoneczka, Duncana i Izadory, aby ich pojmać i każde z osobna spalić na stosie, wyglądał jak łan najgrubszej kaszy, z jaką Baudelaire'owie i Bagienni mieli dotychczas do czynienia.

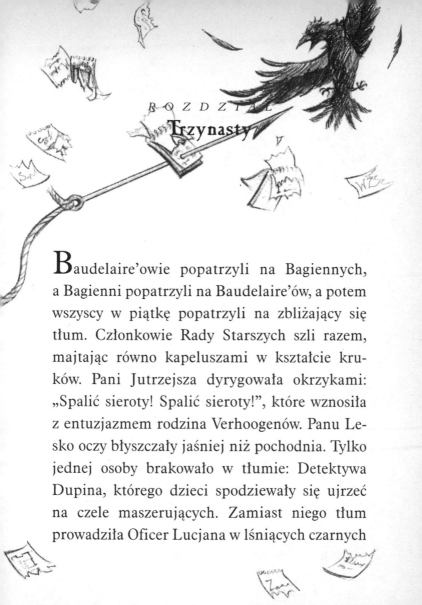

Baudelaire'owie popatrzyli na Bagiennych,
a Bagienni popatrzyli na Baudelaire'ów, a potem
wszyscy w piątkę popatrzyli na zbliżający się
tłum. Członkowie Rady Starszych szli razem,
majtając równo kapeluszami w kształcie kruków. Pani Jutrzejsza dyrygowała okrzykami:
„Spalić sieroty! Spalić sieroty!", które wznosiła
z entuzjazmem rodzina Verhoogenów. Panu Lesko oczy błyszczały jaśniej niż pochodnia. Tylko
jednej osoby brakowało w tłumie: Detektywa
Dupina, którego dzieci spodziewały się ujrzeć
na czele maszerujących. Zamiast niego tłum
prowadziła Oficer Lucjana w lśniących czarnych

oficerkach. Spod osłony hełmu widać było, że minę ma wściekłą. W jednej dłoni osłoniętej białą rękawiczką niosła coś przykrytego kocem, a drugą dłonią wskazywała z daleka na dzieci.

– Są tam! – zawołała, wymierzając palec w białej rękawiczce w stronę przerażonych sierot. – Nie mają już dokąd uciekać!

– Ona ma rację! – krzyknął z rozpaczą Klaus. – Nie mamy już dokąd uciekać!

– Machina! – pisnęło Słoneczko.

– Nie widzę ani śladu deus ex machina, Słoneczko – powiedziała ze łzami w oczach Wioletka. – Nie ma co liczyć na nagły ratunek.

– Machina! – powtórzyło z uporem Słoneczko, wskazując paluszkiem na niebo.

Dzieci oderwały wzrok od nadciągającego tłumu i ujrzały nad sobą najlepszy przykład deus ex machina, jaki można sobie wyobrazić. Nad ich głowami unosił się fantastyczny, samowystarczalny balonowy dom. Wynalazek ten wyglądał imponująco już w warsztacie Hektora, dopiero teraz, po uruchomieniu, okazał całą swoją wspaniałość, tak że nawet wściekli obywatele WZS przerwali na moment pościg za sierotami i zapatrzyli się na cudowny widok. Samowystarczalny balonowy dom był olbrzymi, zupełnie jakby cały budynek mieszkalny z okolicy jakimś cudem oderwał się od ziemi i poszybował w powietrze. Dwanaście połączonych koszy bujało pod chmurami jak wielka tratwa, opleciona rurami, rurkami i przewodami niczym monstrualną przędzą do robótek ręcznych. Ponad koszami nadymał się tuzin balonów w różnych odcieniach zieleni. Nadmuchane, przypominały dorodny zbiór świeżych, gigantycznych zielonych jabłek, lśniących w ostatnich blaskach popołudniowego słońca. Mechanizmy urządzenia funkcjonowały na pełnych obrotach, działały wszystkie lampy, tryby, dzwonki, tłoki, turbiny, i setki innych podzespołów naraz – a mimo to, nie wiedzieć jakim cudem, samowystarczalny balonowy dom sunął w powietrzu cicho jak chmura. Gdy zbliżył się do ziemi, jedynym odgłosem, jaki dał się usłyszeć, był triumfalny okrzyk Hektora.

– Jestem! – wołał z kosza-sterowni pan złota rączka. – Ja i mój latający dom, jak grom z jasnego nieba! Wioletko, twoje udoskonalenia sprawdziły się świetnie. Wsiadajcie, dzieciaki, uciekajmy z tego paskudnego miejsca!

Hektor nacisnął żółty guzik i z balonowego domu zaczęła spuszczać się ku dzieciom długa sznurowa drabina.

– Urządzenie jest, jak wiecie, samowystarczalne – wyjaśnił Hektor – więc nie może już nigdy osiąść na ziemi. Dlatego musicie wspiąć się do mnie po drabinie.

Duncan schwycił koniec sznurowej drabiny i podał go Izadorze.

– Jestem Duncan Bagienny – przedstawił się pospiesznie Hektorowi. – A to moja siostra, Izadora.

– Tak, wiem, Baudelaire'owie opowiadali mi o was – powiedział Hektor. – Bardzo się cieszę, że z nami lecicie. Nasz samowystarczalny balonowy dom, jak każde urządzenie mechaniczne, potrzebuje wielu rąk do stałej obsługi. Przydacie się.

– Aha! – zawołał z oburzeniem pan Lesko, gdy Izadora już wspinała się po drabinie, a Duncan za nią.

Tłum przestał się nagle gapić na deus ex machina i z powrotem ruszył ku dzieciom.

– Urządzenie mechaniczne! Wiedziałem! Wystarczy spojrzeć na te wszystkie guziki i dźwignie! Mnie nie oszukacie! – pomstował głośno pan Lesko.

– Wstydź się, Hektorze! – zawołał ktoś z Rady Starszych. – Prawo numer 67 stanowi wyraźnie, że obywatelom nie wolno budować ani używać żadnych urządzeń mechanicznych!

– Spalić go na stosie! – krzyknęła pani Jutrzejsza. – Niech ktoś doniesie drewna!

Hektor nabrał głęboko powietrza i zwrócił się do tłumu bez śladu dawnej nieśmiałości w głosie:

– Nikt nie zostanie spalony na stosie! – oświadczył stanowczo, dokładnie w chwili gdy Izadora wspięła się na ostatni szczebel drabiny i stanęła obok niego w koszu-sterowni. – Palenie ludzi na stosie to barbarzyństwo!

– Barbarzyństwem jest twoje zachowanie! – odkrzyknął Radny Starszy. – Te dzieci zamordowały Hrabiego Olafa, a ty sam skonstruowałeś urządzenie mechaniczne. Złamaliście dwa bardzo ważne prawa!

– Mam dosyć życia w świecie, gdzie jest tyle praw – powiedział cicho Hektor – i tyle kruków. Lecę stąd i zabieram z sobą tych pięcioro dzieci. Baudelaire'owie i Bagienni przeżyli straszne chwile od śmierci rodziców. Wioska Zakrakanych Skrzydlaków miała się nimi opiekować, a nie oskarżać ich o niedorzeczne zbrodnie i ścigać po ulicach.

– Chwileczkę, a kto teraz będzie dla nas pracował? – spytał Radny Starszy. – W Budce Przekąskowej została jeszcze góra brudnych talerzy po ostatnim podwieczorku.

– Sami sobie pracujcie – odparł pan złota rączka i pochylił się, aby pomóc Duncanowi wejść na pokład swego wynalazku. – Podzielcie się sprawiedliwie obowiązkami. Przysłowie głosi: „Do wychowania dziecka trzeba całej wioski",

ale nie ma przysłowia, które by mówiło: „Do po-
sprzątania wioski trzeba trójki dzieci". Wsiadajcie, Baudelaire'owie. Zostawimy tu tych okrop-
nych ludzi.

Baudelaire'owie uśmiechnęli się do siebie
i zaczęli wspinać się po drabinie. Najpierw szła
Wioletka, ściskając kurczowo liny po obu stronach, za nią Klaus, a na końcu Słoneczko. Hektor podkręcił gałkę i cały balonowy dom uniósł
się nieco wyżej ponad tłum, który właśnie dobie-
gał do końca zwieszonej drabiny.

– Wymkną nam się! – krzyknęła któraś z Radnych Starszych, majtając desperacko kapeluszem w kształcie kruka. Podskoczyła nawet do
góry, chcąc złapać drabinę, ale Hektor tak wy-
manewrował balonowy dom, że nie zdołała jej
dosięgnąć. – Przestępcy wymykają nam się z rąk!
Oficer Lucjano, proszę coś zrobić!

– Zaraz coś zrobię, nie martwcie się – obieca-
ła Oficer Lucjana i ze złośliwym uśmieszkiem
odrzuciła koc, który okrywał przedmiot w jej
dłoni.

Baudelaire'owie, którzy byli już w połowie drabiny, zerknęli w dół i ujrzeli w rękach Lucjany bardzo niemiłe narzędzie, z wściekle czerwonym cynglem i czterema długimi, ostrymi hakami.

– Nie ty jeden masz w tym mieście urządzenie mechaniczne! – zawołała do Hektora Oficer Lucjana. – Oto automatyczna kusza, którą mi kupił mój narzeczony. Wystrzeliwuje cztery harpuny, jeden po drugim, więc nadaje się idealnie do przekłuwania balonów.

– Tylko nie to! – wrzasnął się Hektor, patrząc z przerażeniem na wspinające się po drabinie sieroty.

– Wznieś wyżej samowystarczalny balonowy dom, Hektorze! – krzyknęła z dołu Wioletka. – Jakoś się utrzymamy!

– Szefowa naszej policji korzysta z urządzenia mechanicznego? – nasrożyła się pani Jutrzejsza. – Przecież to jawne naruszenie prawa numer 67!

– Funkcjonariusze prawa mają prawo naruszać prawo – odparła spokojnie Lucjana, celując z kuszy do Hektora. – Szczególnie w nagłych wypadkach, a to jest nagły wypadek. Musimy ściągnąć na dół tych morderców.

Obywatele popatrzyli po sobie z konsternacją, ale Lucjana poczęstowała ich szminkowanym uśmieszkiem i z głośnym klik! nacisnęła cyngiel kuszy. Rozległo się donośne szszszu! – i pierwszy harpun poszybował w powietrze, prosto na wynalazek Hektora. Pan złota rączka wykonał zręczny manewr balonowym domem i harpun nie sięgnął celu, trafił jednak rykoszetem w metalowy zbiornik jednego z bocznych koszy, czyniąc w nim sporą dziurę.

– Psiakość! – zaklął Hektor, gdy ze zbiornika zaczął wyciekać fioletowy płyn. – To mój zapas soku z czarnej porzeczki! Szybciej, szybciej, Baudelaire'owie! Jeszcze parę takich strat i będziemy zgubieni!

– Szybciej już nie możemy! – odkrzyknął Klaus.

Prawdę mówiąc, im wyżej Hektor wznosił swój wynalazek, tym silniej bujała się sznurowa drabina, tak że o szybkim wspinaniu się w ogóle nie mogło być mowy.

Klik! Szszszu! Drugi harpun świsnął w powietrzu, trafiając w szósty kosz i powodując eksplozję brunatnego pyłu, który z wolna osiadł na ziemi, w ślad za sporą liczbą cienkich metalowych walców.

– Trafiła w nasz zapas żytniej mąki! – lamentował Hektor. – I w pudełko zapasowych baterii!

– Następnym trafię w balon! – zapowiedziała Oficer Lucjana. – Spadniecie na ziemię, a wtedy spalimy was na stosie!

– Oficer Lucjano – upomniał ją ktoś z Rady Starszych. – Uważam, że nie wolno łamać prawa w celu ujęcia osób, które złamały prawo. To nielogiczne.

– Brawo, brawo! – poparł go ktoś z obywateli w dalszej części tłumu. – Niech Oficer Lucjana odłoży kuszę i chodźmy wszyscy razem do Ratusza. Zwołamy zebranie.

– Zebrania wyszły z mody! – zabrzmiał całkiem nowy głos.

Zagrzmiało, jakby nadciągał kolejny łan wyjątkowo grubej kaszy, i tłum rozstąpił się, robiąc miejsce Detektywowi Dupinowi, który jechał środkiem na motocyklu, pomalowanym na turkusowo, pod kolor marynarki. Oblicze Detektywa Dupina jaśniało triumfem, a jego naga pierś była dumnie wypięta.

– Detektyw Dupin też korzysta z urządzeń mechanicznych? – zaniepokoił się ktoś z Rady Starszych. – Nie damy rady wszystkich spalić na stosie!

– Dupin nie jest obywatelem WZS – przypomniał mu kolega Radny – więc nie może być pociągnięty do odpowiedzialności za łamanie prawa numer 67.

– Jednak jedzie na motocyklu środkiem tłumu – zauważył pan Lesko – i nie ma kasku na głowie. To wielce nieroztropne zachowanie, nie da się zaprzeczyć.

Detektyw Dupin zlekceważył uwagi pana Lesko w sprawie bezpieczeństwa jazdy na motocyklu i zahamował dopiero przy Oficer Lucjanie.

– Teraz w modzie jest się spóźniać – oświadczył, pstrykając palcami. – Kupowałem dzisiejsze wydanie „Dziennika Punctilio" – dodał tytułem usprawiedliwienia.

– Nie powinien pan kupować gazet, tylko łapać przestępców – upomniała go surowo Radna Starsza, trzęsąc kruczym kapeluszem.

– Właśnie, właśnie! – poparło ją kilka głosów, ale większość osób w tłumie miała niepewne miny. Trudno wściekać się całe popołudnie, a że sytuacja skomplikowała się, obywatele WZS znacznie stracili na krwiożerczości. Kilkoro nawet opuściło pochodnie, które po tylu godzinach trzymania w górze wydały im się zbyt ciężkie.

Detektyw Dupin zlekceważył jednak zmianę w nastrojach tłumu.

– Dajcie mi święty spokój, zakrakane głupki! – fuknął do Radnej Starszej i pstryknął palcami. – Ostatnio w modzie jest strzelanie z kuszy, Oficer Lucjano – zwrócił się do Oficer Lucjany.

– Tak słyszałam – przytaknęła entuzjastycznie Oficer Lucjana i po raz trzeci wycelowała harpun w balonowy dom. Lecz samowystarczalny balonowy dom nie był już sam na niebie. W zamieszaniu, które przed chwilą zapanowało, nikt z tłumu nie zauważył, że popołudnie minęło i miejscowe kruki jęły zataczać swe codzienne kręgi na niebie przed odlotem na nocleg w konarach Drzewa Nigdyjuż. Nadlatywały właśnie tysiącami, i po sekundzie niebo poczerniało od rozszemranej ptasiej chmury. Oficer Lucjana straciła z oczu Hektora i jego wynalazek. Hektor stracił z oczu Baudelaire'ów. A Baudelaire'owie stracili z oczu wszelki widok. Sznurowa drabina zwisała dokładnie na trasie przelotu kruków, toteż dzieci znalazły się niespodziewanie w czarnym, ruchliwym ptasim żywiole. Krucze skrzydła nieprzyjemnie łaskotały Baudelaire'ów i co chwila zaczepiały się o drabinę, tak że dzieci musiały z całych sił trzymać się szczebli, żeby nie zlecieć.

– Baudelaire'owie! – krzyknął z góry Hektor. – Trzymajcie się, żebyście nie zlecieli! Spróbuję wznieść się wyżej, ponad kruki!

– Nie! – pisnęło Słoneczko, komunikując coś w sensie: „Wcale nie wiem, czy to taki dobry plan. Nie przeżyjemy upadku z większej wysokości!".

Hektor nie usłyszał jednak Słoneczka, gdyż zagłuszyło je klik! i szszszu! kolejnego harpuna z kuszy Lucjany. Drabina, której tak kurczowo trzymali się Baudelaire'owie, szarpnęła gwałtownie i zaczęła kręcić się w obłędnym tempie wokół własnej osi, w roztrzepotanej gęstwinie kruków. Trojaczki Bagienne spojrzały z kosza- -sterowni w dół i przez chwilową lukę między krukami dostrzegły coś, co bardzo je zmartwiło.

– Harpun trafił w drabinę! – krzyknęła Izadora, komunikując przyjaciołom na dole fatalną wiadomość. – Lina się rozkręca!

Istotnie. W miarę jak kruki mościły się na Drzewie Nigdyjuż, Baudelaire'owie mogli coraz jaśniej widzieć własną sytuację, a zwłaszcza drabinę, której przyglądali się ze zgrozą. W jednej z grubych lin drabiny utkwił harpun, powodując stopniowe, lecz systematyczne, rozkręcanie się splotu. Wioletce przypomniało się, jak we wczesnym dzieciństwie uprosiła mamę, żeby zaplotła jej warkocze, bo chciała wyglądać jak pewna słynna wynalazczyni ze zdjęcia w czasopiśmie naukowym. Chociaż mama starała się, jak mogła, warkocze za nic nie chciały się trzymać i rozplatały się zaraz po zawiązaniu na końcach wstążek. Dokładnie tak, jak w tej chwili sznur drabiny.

– Szybciej! – ponaglał nerwowo Duncan. – Szybciej!

– Nie – szepnęła Wioletka i po chwili powtórzyła to głośniej, żeby brat i siostrzyczka mogli ją usłyszeć.

Coraz więcej kruków zajmowało stanowiska na Drzewie Nigdyjuż, coraz lepiej Klaus i Słoneczko widzieli ponurą minę Wioletki.

– Nie! – Wioletka Baudelaire spojrzała raz jeszcze na rozplatającą się linę i doszła do wniosku, że ona i jej rodzeństwo nie mają szans wspiąć się do samowystarczalnego balonowego domu Hektora. Było to równie niemożliwe jak to, że mama jeszcze kiedyś zaplecie Wioletce włosy. – Nie uda nam się. Jeśli wespniemy się jeszcze wyżej, spadniemy i pozabijamy się. Musimy schodzić w dół.

– Jak to... – zaprotestował Klaus.

– Szkoda gadać – przerwała mu Wioletka. – Nie mamy szans.

– Joli! – pisnęło Słoneczko.

– Nie! – powtórzyła twardo Wioletka, patrząc rodzeństwu w oczy.

Wszystkim trojgu było niezmiernie żal, że nie polecą balonem z przyjaciółmi, ale bez słowa ruszyli w dół rozplatającą się drabiną, wciąż mijani przez kruki, które nie doleciały jeszcze do Drzewa Nigdyjuż. Gdy zeszli o dziewięć szczebli, drabina rozplotła się całkowicie i jak ekspresowy dźwig spuściła dzieci na płaską jak deska ziemię. Baudelaire'owie wylądowali ze smutkiem, lecz bez szwanku.

– Hektorze, obniż lot! – zawołała Izadora. Jej głos brzmiał już bardzo słabo z oddalenia. – Duncan i ja wychylimy się z kosza i utworzymy dla Baudelaire'ów żywą drabinę! Jeszcze zdążymy ich uratować!

– Nie mogę. Konstrukcja urządzenia nie pozwala na powrót na ziemię – zasmucił się Hektor, patrząc w dół na Baudelaire'ow, którzy wyplątywali się z popsutej drabiny.

Detektyw Dupin już zmierzał w ich stronę.

– Musi być jakieś wyjście! – krzyknął Duncan, ale samowystarczalny balonowy dom oddalił się w tej samej chwili jeszcze o kawałek.

– Moglibyśmy wspiąć się na Drzewo Nigdyjuż i przeskoczyć do kosza balonu z najwyższej gałęzi – zaproponował Klaus.

Wioletka pokręciła głową.

– Drzewo do połowy obsiadły już kruki – powiedziała – a konstrukcja Hektora wzniosła się za wysoko.

Spojrzała w górę, osłoniła usta dłońmi, żeby wzmocnić głos, i zawołała do przyjaciół:

– Już was nie dosięgniemy! Spróbujemy was dogonić trochę później!

Głos Izadory brzmiał już tak cicho, że ledwo go słyszeli, zwłaszcza przez szemranie kruków, które mościły się na Drzewie Nigdyjuż.

– Jak to: trochę później? – wołała Izadora. –
Dogonicie nas w powietrzu?

– Nie wiem jak! – odkrzyknęła Wioletka. –
Ale coś wymyślimy, obiecuję wam!

– No to tymczasem łapcie! – zawołał Duncan.

Baudelaire'owie zobaczyli, że Duncan i Izadora wyciągają za burtę kosza swoje notesy, ciemnozielony i czarny.

– Tu jest wszystko, co wiemy o podłym planie
Hrabiego Olafa, o sekrecie WZS i o zamordowa-
niu Jacques'a Snicketa! – krzyknął Duncan
drżącym głosem, po którym Baudelaire'owie poznali, że ich przyjaciel płacze. – Przynajmniej
tyle możemy dla was zrobić!

– Łapcie nasze notesy! – zawtórowała bratu
Izadora. – Może kiedyś znów się spotkamy!

Trojaczki Bagienne zrzuciły swoje notesy z kosza samowystarczalnego balonowego domu i za-
wołały chórem: „Do widzenia!" – ale ich pożegna-
nie zagłuszył kolejny odgłos klik! i szszszu! To
Oficer Lucjana wystrzeliła czwarty, ostatni harpun. Muszę przyznać ze smutkiem, że po tylu

ćwiczeniach celność jej strzałów bardzo jej się poprawiła: ostatni harpun trafił dokładnie w to,
w co chciała trafić Oficer Lucjana. Ostrze dosię-
gło w locie nie jeden, lecz oba notesy Bagiennych.
Zaszeleściły rozrywane stronice i powietrze wy-
pełniło się luźnymi kartkami, rozproszonymi na
wszystkie strony pośród odfruwających na nocleg
kruków. Bagienni zawyli z rozczarowania i jeszcze coś krzyknęli do Baudelaire'ów, ale wynalazek Hektora był już za wysoko, aby Baudelaire'owie zdołali cokolwiek usłyszeć. Dobiegło
ich tylko niewyraźne słowo „wolontariusz", a potem samowystarczalny balonowy dom poszybował gwałtownie w górę i już nic z niego nie było
słychać.

– Desper! – pisnęło Słoneczko, komunikując:
„Pozbierajmy jak najwięcej kartek z notesów Bagiennych!".

– Jeżeli „desper" znaczy „wszystko stracone",
to ten dzieciak nie jest jednak całkiem głupi –
powiedział Detektyw Dupin, który właśnie zbliżył się do Baudelaire'ów.

Rozpiął marynarkę, odsłaniając jeszcze większy fragment bladej i włochatej klatki piersiowej, po czym wyjął z wewnętrznej kieszeni zwiniętą w rulon gazetę i spojrzał z góry na sieroty Baudelaire jak na trzy robaki, które za chwilę tą gazetą zatłucze.

– Pomyślałem sobie, że chętnie przeczytacie dzisiejszy „Dziennik Punctilio" – rzekł złośliwie, rozwijając gazetę i pokazując dzieciom nagłówek na pierwszej stronie: „SIEROTY BAUDELAIRE GRASUJĄ" – co znaczyło, że „nie są w więzieniu". Pod nagłówkiem widniały portrety pamięciowe Wioletki, Klausa i Słoneczka.

Detektyw Dupin zdjął okulary, aby przy słabym świetle zmierzchu odczytać tekst artykułu.

– „Władze prowadzą pościg za Weroniką, Klemensem i Sabiną Baudelaire" – przeczytał głośno – „którzy zbiegli z więzienia w miejscowości Wioska Zakrakanych Skrzydlaków, gdzie byli przetrzymywani za zamordowanie Hrabiego Omara".

Dupin poczęstował sieroty Baudelaire zjadliwym uśmieszkiem i cisnął gazetę na ziemię.

– Jest parę pomyłek w imionach, sam to widzę – przyznał – ale któż z nas nie robi błędów? Jutro, oczywiście, ukaże się następny numer specjalny „Dziennika Punctilio", a ja osobiście dopilnuję, aby tym razem wszystkie informacje na temat brawurowego ujęcia groźnych Baudelaire'ów przez Detektywa Dupina ukazały się bez błędu.

Dupin nachylił się do dzieci tak blisko, że poczuły wyraźnie odór sałatki z jajkiem, którą zapewne jadł na obiad.

– Oczywiście – dodał ciszej Dupin, tak że tylko Baudelaire'owie mogli go usłyszeć – jedno z Baudelaire'ów ucieknie w ostatniej chwili i pozostanie ze mną aż do przejęcia przeze mnie majątku Baudelaire'ów. Pytanie: które to z was będzie? Nie powiadomiliście mnie jeszcze o swojej decyzji.

– Nie zamierzamy zajmować się tą sprawą – oświadczyła dumnie Wioletka.

– Och, nie! – krzyknął ktoś z Rady Starszych i wskazał palcem płaski horyzont.

W ostatnich blaskach zachodzącego słońca Baudelaire'owie dostrzegli tam jakiś sterczący kijek, wokół którego fruwały luźne kartki z notesów Bagiennych. Kijkiem okazał się ostatni harpun Oficer Lucjany, który po zniszczeniu notesów Bagiennych trafił w coś jeszcze: przyszpilał oto do ziemi skrzydło miejscowego kruka, który z bólu rozdziawił dziób.

– Pani zraniła kruka! – zgorszyła się pani Jutrzejsza, mierząc oskarżycielskim palcem w Oficer Lucjanę. – To pogwałcenie prawa numer jeden! Najważniejszego prawa w WZS!

– Kto by się tam przejmował głupim ptakiem! – rzekł beztrosko do tłumu Detektyw Dupin, wzruszając ramionami.

– Głupim ptakiem?!!! – powtórzył ze zgrozą Radny Starszy, a jego kruczy kapelusz zadrżał z oburzenia. – Głupim ptakiem, powiada pan? Detektywie Dupin, to jest Wioska Zakrakanych Skrzydlaków, u nas...

– Chwileczkę! – krzyknął ktoś z tłumu. – Patrzcie! On ma pojedynczą brew!

Detektyw Dupin zapomniał włożyć okulary, które zdjął był do czytania gazety – uczynił to pospiesznie dopiero teraz.

– Mnóstwo ludzi ma zrośnięte brwi – zbagatelizował zarzut, ale ludzie już nie zwracali uwagi na jego wykręty, gdyż zaczęła nimi kierować psychologia tłumu.

– Niech zdejmie buty! – krzyknął pan Lesko, a któraś z Rady Starszych natychmiast kucnęła i złapała Dupina za nogę. – Jeżeli ma tatuaż, spalmy go na stosie!

– Właśnie, właśnie! – poparł go chór obywateli.

– Zaraz, zaraz! – powstrzymała ich Oficer Lucjana. Odłożyła kuszę i z niepokojem spojrzała na Dupina.

– Oficer Lucjanę też spalmy na stosie! – rzuciła hasło pani Jutrzejsza. – Postrzeliła kruka!

– Jasne, co się mają zmarnować takie dobre pochodnie? – zauważył praktycznie ktoś z Rady.

– Właśnie, właśnie!

Detektyw Dupin wyraźnie chciał coś powiedzieć, nawet już otworzył usta i widać było, że obmyśla w panice jakieś kłamstwo, które zamydliłoby oczy obywatelom WZS – ale po chwili zamknął usta. Wprawnym kopniakiem odtrącił Radną Starszą, która trzymała go za nogę. Tłum wstrzymał oddech ze zgorszenia, gdy kruczy kapelusz Radnej Starszej spadł na ziemię, a sama Radna przeturlała się obok kapelusza, zaciskając w objęciach plastikowy but Dupina.

– Ma tatuaż! – krzyknął ktoś z rodziny Verhoogenów, wskazując oko na kostce lewej nogi Detektywa Dupina, a raczej Hrabiego Olafa.

Olaf z dzikim rykiem rzucił się do motocykla.

– Wskakuj, Esmeraldo! – zawołał do Oficer Lucjany, uruchamiając pojazd.

Szefowa policji z uśmiechem zdjęła hełm i dzieci poznały, że jest to Esmeralda Szpetna.

– To Esmeralda Szpetna! – krzyknął ktoś z Rady Starszych. – Była kiedyś szóstą najważniejszą doradczynią finansową miasta, ale od pewnego czasu współpracuje z Hrabią Olafem!

– Podobno mają romans! – dodała ze zgorszeniem pani Jutrzejsza.

– Owszem, mamy romans! – zawołała dumnie Esmeralda.

Wgramoliła się na tylne siedzenie motocykla i cisnęła hełm na ziemię, demonstrując w ten sposób, że gwiżdże sobie tak samo na bezpieczeństwo jazdy na motorze, jak na zdrowie i dobrobyt kruków.

– No to tymczasem, Baudelaire'owie! – krzyknął Hrabia Olaf, gnając na pełnym gazie przez szpaler gniewnego tłumu. – Ja was jeszcze dopadnę, o ile władze pierwsze nie dobiorą się wam do skóry!

Esmeralda zachichotała. Motocykl z rykiem pruł płaski krajobraz, z prędkością co najmniej dwukrotnie wyższą od dozwolonej, i po chwili zmienił się w maleńką plamkę na horyzoncie – nie większą niż daleki punkcik samowystarczalnego balonowego domu na wieczornym niebie.

– Nigdy ich nie dogonimy – stwierdził któryś Radny Starszy. – Nie mamy szans bez urządzeń mechanicznych.

– Mniejsza o to – zniecierpliwił się inny. – Mamy ważniejsze sprawy. Za mną obywatele! Trzeba zanieść rannego kruka do weterynarza!

Baudelaire'owie spoglądali na siebie w zdumieniu, gdy wzruszeni obywatele WZS z największą ostrożnością usuwali harpun z kruczego skrzydła i nieśli rannego ptaka do miasteczka.

– Co teraz zrobimy? – spytała Wioletka.

Pytała swoje rodzeństwo, ale odpowiedziała jej jedna z Radnych Starszych, która przypadkiem podsłuchała pytanie.

– Nie ruszycie się stąd ani na krok! – zapowiedziała surowo. – Hrabia Olaf i jego nieuczciwa narzeczona co prawda uciekli, ale wy troje nie przestaliście z tego powodu być przestępcami. Spalimy was na stosie, gdy tylko kruk otrzyma pomoc weterynaryjną.

To rzekłszy, Radna Starsza pognała za tłumem niosącym rannego kruka, a sieroty Baudelaire zostały same w płaskim jak deska krajobrazie – jedynie luźne kartki z notesów Bagiennych dotrzymywały im towarzystwa.

– Pozbierajmy lepiej te kartki – powiedział Klaus, schylając się po jedną, mocno rozdartą. – W nich nasza jedyna nadzieja rozszyfrowania sekretu WZS.

– I pokonania Hrabiego Olafa – dodała Wioletka, zmierzając ku niewielkiej stercie kartek, zwianych razem przez wiatr.

– Felon! – mruknęło Słoneczko, czołgając się za uciekającą z wiatrem kartką, na ktorej chyba wyrysowana była mapa. Mówiąc „Felon!", Słoneczko zakomunikowało: „I udowodnienia, że nie jesteśmy mordercami!".

Baudelaire'owie przystanęli na chwilę nad „Dziennikiem Punctilio", który wciąż leżał na ziemi. Z pierwszej strony gazety spojrzały na nich ich własne twarze, pod nagłówkiem „SIEROTY BAUDELAIRE GRASUJĄ" – a przecież oni wcale nie grasowali. Wprost przeciwnie: potulni jak baranki błąkali się samotnie na pustych peryferiach WZS, walcząc z wiatrem o ostatnie ocalałe kartki z notesów Bagiennych. Wioletce udało się zebrać sześć, Klausowi – siedem, a Słoneczku – dziewięć, z tym że pewna część ze-branych przez dzieci kartek była albo podarta, albo pusta, albo niemiłosiernie wymięta przez wiatr.

– Potem je poczytamy – zarządziła Wioletka, zgarniając cały zbiór i obwiązując swoją wstążką do włosów. – Na razie musimy stąd uciekać, za-nim tłum powróci.

– Ale dokąd? – spytał Klaus.

– Burb – odpowiedziało mu Słoneczko, komu-nikując: „Dokądkolwiek, byle jak najdalej od tej okropnej miejscowości".

– Kto się tam nami zaopiekuje? – zmartwił się Klaus, patrząc na płaski horyzont.

– Nikt – odparła Wioletka. – Sami się sobą za-opiekujemy. Spróbujemy być samowystarczalni.

– Jak balonowy dom – powiedział Klaus – któ-ry może bez końca podróżować w powietrzu.

– Jak ja! – obwieściło z dumą Słoneczko, sta-jąc nagle samodzielnie na nóżkach.

Wioletka z Klausem omal nie usiedli z wraże-nia, patrząc, jak ich siostrzyczka stawia pierwsze chwiejne kroki, lecz zaraz podskoczyli do niej, gotowi w każdej chwili złapać ją, gdyby miała upaść.

Ale Słoneczko nie upadło. Zrobiło jeszcze kilka samowystarczalnych kroków i przystanęło, a obok niego brat i siostra. Sieroty Baudelaire stały zbite w gromadkę, rzucając długie cienie, aż po horyzont, w gasnących promieniach słońca. Spojrzały w niebo, gdzie unosił się jeszcze maleńki punkcik oazy bezpieczeństwa, w której trojaczki Bagienne miały odtąd żyć wraz z Hektorem. Spojrzały na krajobraz, przecięty kolciną motocykla, którym Hrabia Olaf i Esmeralda odjechali szukać wspólników i obmyślać nowy podstępny plan. Obejrzały się na Drzewo Nigdyjuż, gdzie kruki szemrzącym chórem mamrotały sobie do snu, i rozejrzały się po całym świecie, który niebawem znów miał czytać o trzech sierotach w specjalnym wydaniu „Dziennika Punctilio". Zdawało się Baudelaire'om, że każdym stworzeniem na tym świecie ktoś się opiekuje – każdym, tylko nie nimi, sierotami.

Na szczęście mogli opiekować się sobą nawzajem, jak zawsze od strasznego dnia na plaży. Wioletka, Klaus i Słoneczko popatrzyli po sobie, nabrali głęboko tchu, zmobilizowali całą swoją odwagę do stawiania czoła gromom z jasnego nieba, których, jak (niestety słusznie) podejrzewali, nie mieli uniknąć w przyszłości – i jako dzielne, samowystarczalne sieroty Baudelaire zrobili pierwszy krok oddalający ich od WZS, pierwszy krok ku ostatnim promykom zachodzącego słońca.

LEMONY SNICKET jest autorem dość wielu książek, samych strasznych, i człowiekiem niesłusznie oskarżonym o liczne zbrodnie. Do niedawna mieszkał gdzie indziej.

www.egmont.pl/snz
www.unfortunateevents.com

BRETT HELQUIST urodził się w Ganado, stan Arizona, dorastał w Orem, Utah, a obecnie mieszka w Nowym Jorku. Uzyskał stopień licencjata sztuk pięknych na Uniwersytecie Birmingham Young i zajmuje się ilustrowaniem książek. Jego prace drukowano w wielu publikacjach, m.in. w czasopismach „Cricket" i „The New York Times".

DO SZANOWNEGO WYDAWCY

PROSZE WYBACZYC SLOWO STOP NA KONCU KAZDEGO ZDANIA STOP TELEGRAM TO NAJSZYBSZA METODA PRZEKAZANIA WIADOMOSCI Z DOMU TOWAROWEGO A STOP W TELEGRAMIE JEST ZNAKIEM KONCA ZDANIA STOP

NA NAJBLIZSZE PRZYJECIE NA KTORE ZOSTANIE PAN ZAPROSZONY PROSZE WLOZYC TRZECI NAJLEPSZY GARNITUR I UDAWAC ZE NIE ZAUWAZYL PAN NA NIM PLAMY STOP NASTEPNEGO DNIA PROSZE ODNIESC GARNITUR DO PRALNI CHEMICZNEJ I ODDAC DO CZYSZCZENIA STOP KIEDY PRZYJDZIE PAN GO ODEBRAC OTRZYMA PAN ZAMIAST GARNITURU TORBE SKLEPOWA ZAWIERAJACA MOJ KOMPLETNY RAPORT O PRZEZYCIACH SIEROT BAUDELAIRE W OSTATNIM MIEJSCU ICH POBYTU ZATYTULOWANY „SZKODLIWY SZPITAL" WRAZ Z KROTKOFALOWKA JEDNA Z OSTATNICH KTORE OMYLKOWO

Telefax

DOSTARCZONO HALOWI ORAZ PEKNIETYM BALONIKIEM W KSZTALCIE SERCA
STOP ZALACZE ROWNIEZ SZKIC KLUCZA DO ARCHIWUM ABY PAN HELQUIST
MOGL NALEZYCIE ZILUSTROWAC KSIAZKE STOP

PROSZE PAMIETAC ZE JEST PAN MOJA JEDYNA NADZIEJA NA TO ZE HISTORIA
SIEROT BAUDELAIRE ZOSTANIE WRESZCIE UJAWNIONA SWIATU STOP

Z CALYM NALEZNYM SZACUNKIEM

LEMONY SNICKET

PS GARNITUR OTRZYMA PAN POCZTA W TERMINIE POZNIEJSZYM STOP

Lemony Snicket ujawnia mrożące krew w żyłach
szczegóły dziewiątej księgi
SERII NIEFORTUNNYCH ZDARZEŃ:

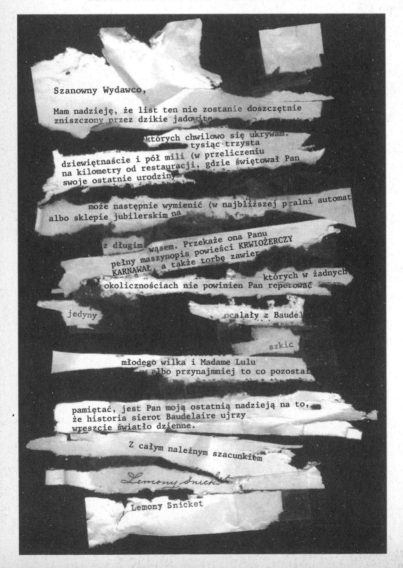

Szanowny Wydawco,

Mam nadzieję, że list ten nie zostanie doszczętnie
zniszczony przez dzikie jadowite

których chwilowo się ukrywam.
tysiąc trzysta
dziewiętnaście i pół mili (w przeliczeniu
na kilometry od restauracji, gdzie świętował Pan
swoje ostatnie urodziny

może następnie wymienić (w najbliższej pralni automat
albo sklepie jubilerskim na

z długim wąsem. Przekaże ona Panu
pełny maszynopis powieści KRWIOŻERCZY
KARNAWAŁ a także torbę zawier

których w żadnych
okolicznościach nie powinien Pan reperować

jedyny   ocalały z Baudel

szkic

młodego wilka i Madame Lulu
albo przynajmniej to co pozostał

pamiętać, jest Pan moją ostatnią nadzieją na to,
że historia sierot Baudelaire ujrzy
wreszcie światło dzienne.

Z całym należnym szacunkiem

Lemony Snicket

Lemony Snicket

Najlepszy koszmar dla dzieci!

Dorosłym cierpnie skóra!